EL
RESCATE

SIETE PERSONAS,
SIETE HISTORIAS ASOMBROSAS

JIM CYMBALA

CON ANN SPANGLER

PATMOS

CONTENIDO

———

Aunque los individuos cuyas historias se relatan en
El rescate son identificados por su nombre, se ha dado
un nombre distinto a algunas personas que aparecen
en sus historias para proteger su privacidad.

EL RESCATE

Muchos de nosotros nos sentimos cercados por problemas imposibles para los cuales no existen soluciones fáciles. Tras un torrente de titulares que anuncian continuamente nuevos problemas en el mundo, nos sentimos profundamente pesimistas, no solo por lo que está sucediendo en el mundo, sino también por el estado de nuestras propias vidas y de las vidas de las personas que nos importan.

Quizá hemos alcanzado cierta medida de éxito pero nos seguimos sintiendo vacíos por dentro, como si faltara algo. Sin importar cuánto dinero gastemos, cuántas relaciones tengamos o cuán duro trabajemos, luchemos, juguemos o finjamos, no podemos encontrar un sentimiento de paz y felicidad. Una nube sigue por encima de nuestra cabeza.

O tal vez estemos peleando batallas personales: luchando con retos financieros, batallando con adicciones, enfrentando una rotura de una relación, sufriendo una enfermedad, o batallando con los efectos del abuso.

Al viajar por todo el país, con frecuencia me encuentro con personas tan golpeadas por la vida que su esperanza parece tan frágil como una vela ardiendo en medio de una tormenta. Otra ráfaga de viento, una dificultad o un desafío más, y la llama parpadeante se apagará, dejándolos en la oscuridad total. Si no están desalentados con sus propias vidas, están profundamente preocupados por lo que está sucediendo en las vidas de sus hijos o de otras personas a las que aprecian.

Por fortuna, no tenemos que vivir de ese modo, sintiéndonos golpeados por los retos de la vida o desesperanzados con respecto al futuro. Independientemente de qué tan fuerte sea nuestra tormenta personal o qué tan difíciles puedan ser las circunstancias en nuestra vida, podemos emerger con fuerza y esperanza.

—

Independientemente de qué tan fuerte sea nuestra tormenta personal o qué tan difíciles puedan ser las circunstancias en nuestra vida, podemos emerger con fuerza y esperanza.

—

En lugar de sentirnos confusos, derrotados, enojados y deprimidos, podemos comenzar a experimentar la vida de un modo que producirá profunda sanidad y paz. No necesitaremos seguir repitiendo conductas autodestructivas o ser victimizados por fuerzas que no podemos controlar. En cambio, podremos enfrentar el futuro con esperanza y expectativa.

¿Cómo podemos hacer eso? ¿Existe un plan de siete pasos o un sendero secreto hacia el éxito que produzca esos beneficios? ¿Hay un manual que resolverá mágicamente nuestros peores problemas? Probablemente sepa que no lo hay.

En lugar de ofrecerle un vivaz discurso motivacional, o un conjunto de argumentos persuasivos, o un manual de autoayuda que promete mejorar su vida, simplemente quiero compartir algunas historias notables. Aunque cada una de estas historias es única y dramática, todas ellas giran en torno a problemas y luchas comunes, algunas de las cuales puede que usted mismo haya experimentado en un momento u otro en su propia vida. O quizá las haya experimentado alguien cercano a usted.

Si yo tuviera una casa lo bastante grande, le invitaría a mi salón para sentarse conmigo y con los siete amigos cuyas historias relato. Al escuchar a cada uno de ellos se abriría una ventana ofreciéndole una vislumbre no solo de su dolor y confusión, sino también del gozo y la paz que ellos encontraron como resultado de una transformación profunda. En ese ambiente de intimidad, usted podría observar las expresiones de sus rostros y escuchar el tono de sus voces mientras relataban su experiencia de ser rescatados de situaciones imposibles.

Pero como mi esposa y yo vivimos en un pequeño apartamento de un solo dormitorio en el centro de Brooklyn, eso no es posible. En cambio, he hecho todo lo posible para compartir estas historias de la manera en que me fueron relatadas. Al haber elegido usted este libro, espero que los kilómetros que nos separan se reduzcan hasta que sienta como si estuviéramos sentados juntos y usted estuviera escuchando a cada uno de mis amigos mientras ellos hablan abierta y sinceramente sobre lo que les ha sucedido.

Pero ¿por qué estas historias concretamente y no otras? Sin ninguna duda, podría haber encontrado incontables historias que son igualmente cautivadoras. Tales historias suceden cada día en todo nuestro país y en todo el mundo. He escogido estas porque conozco a las personas personalmente y porque creo que las historias de su transformación tienen el potencial de transformar la vida de usted mismo y las vidas de las personas que a usted le importan. A mis siete amigos cuyas historias se relatan en este libro (a Lawrence, Timiney, Rich, Robin, Kaitlin, Alex y Toni), les doy las gracias por su sinceridad y valentía. Estoy profundamente agradecido por su disposición a contar la verdad para que otros puedan recibir ayuda. Gracias por darme el privilegio de compartir sus historias.

A todos los demás, es mi esperanza que, igual que mis siete amigos, ustedes experimenten la profunda transformación que yo denomino "el rescate": una experiencia que cambiará su vida de modo que ya no se sentirá derrotado por sus problemas o abrumado por sus preocupaciones. En cambio, habrá aprendido lo que significa vivir una vida de transformación profunda, una vida que le producirá gozo y le dará el tipo de paz que nunca le abandonará.

LA HISTORIA DE LAWRENCE

LAWRENCE PUNTER ES UN EXDEPORTISTA UNIVERSI-
TARIO E INSTRUCTOR DE VUELO. EXITOSO EMPRENDE-
DOR Y HOMBRE DE NEGOCIOS, ES TAMBIÉN MIEMBRO
DEL GALARDONADO CORO CON UN PREMIO GRAMMY,
BROOKLYN TABERNACLE CHOIR. SI USTED LO CONO-
CIERA, CON SU ALTURA DE SEIS PIES Y CINCO PULGADAS
(1,94 METROS), NUNCA SUPONDRÍA QUE ESTE HOMBRE
BIEN PARECIDO Y DE VOZ SUAVE, QUE COMPARTE SU HIS-
TORIA CON FRECUENCIA EN CÁRCELES, FUE UNA VEZ UN
MUCHACHO AL QUE NADIE PARECÍA AMAR.

DOY VUELTAS EN LA CAMA, cansado hasta lo más hondo de los huesos. He estado tumbado aquí durante la mayor parte de un día, agradecido al menos porque hay cielos claros y temperaturas soportables. Incluso cuando la luz del sol se asoma entre las nubes y me hace entrecerrar los ojos bajo mis párpados cerrados, me obligo a mí mismo a volver a dormir, ya que los sueños son mi único alivio.

—

Los sueños son mi único alivio.

—

La cama que yo mismo he construido no está ubicada en un bonito apartamento o en una casa cómoda. Tampoco está apartada en la casa de invitados de algún amigo o en un porche acristalado. Noche tras noche duermo en un lugar que no tiene ventanas ni paredes, sobre un colchón sucio y raído en un sucio callejón entre dos edificios de apartamentos.

Excepto cuando alguien vaga por allí para meter una bolsa de basura en el vertedero, estoy solo. También está la rata ocasional, al igual que moscas zumbando durante el día y enjambres de mosquitos en la noche. Me pregunto si me quedaré sordo por cachetear mis propios oídos para espantarlos y así poder descansar un poco. He estado viviendo de esta manera durante meses: aturdido, mareado y solo.

Esta noche tengo una sensación de alivio, como si algo pudiera ir bien, para variar. Pronto ya no habrá más dolor ni lucha, no habrá más hambre ni pelear batallas que no puedo ganar. Sostengo las pastillas en una mano y una botella de agua en la otra. En un rato, todo habrá terminado. Voy a dormirme para siempre. Nunca más tendré que volver a despertar.

¿Qué tipo de camino toma un hombre joven para llegar a un lugar como ese? En mi caso, el viaje comenzó antes de mi nacimiento.

No sé cómo se conocieron mis padres o qué les atrajo el uno hacia el otro. Eso no importa. Lo que sí importa es que se casaron cuando eran aún muy jóvenes. No sé nada sobre cómo reaccionó mi papá cuando oyó la noticia de que iba a ser padre. Tal vez intentó sonreír, o quizá mi mamá fingió ser feliz. Solamente sé que la abandonó cuando estaba embarazada de nueve meses.

Si fue por una sola mujer o por varias mujeres, no estoy seguro; pero ya había tenido varias aventuras amorosas durante el curso de su breve matrimonio. Cuando mi madre me dio a luz en un hospital en Nueva York, no hubo ningún esposo amoroso en la sala de espera, ni tampoco estaba allí un papá orgulloso para tomarme en sus brazos y darme la bienvenida al mundo.

Por lo tanto, mis padres se divorciaron y durante poco tiempo nos quedamos mi mamá y yo. Las mamás solteras no son algo poco común, desde luego. La mayoría de ellas batallan y trabajan duro, y aman a sus hijos a pesar de todo. Pero mi madre no era como esas madres. No era una heroína oculta a quien algún día todos elogiarían por todos sus sacrificios. Para ella, yo era simplemente una incomodidad. Igual que mi padre, ella quería un nuevo comienzo, y un bebé solamente la retenía.

No deseado por mi madre ni mi padre, pasé los primeros siete años de mi vida en Antigua.

Cuando yo tenía dos o tres meses, mi mamá me dejó en Antigua, una isla en el Caribe, donde vivía mi abuela. Después regresó a Nueva York.

Durante los primeros años fui feliz; yo era un niño como todos los demás. No me importaba que mi "mamá" fuera mucho más vieja que las madres de los otros niños. Nunca me fijé. Solamente sabía que ella cuidaba de mí y que yo la amaba. Quizá ella me dijo que yo tenía otra madre que vivía en un extraño lugar llamado Ciudad de Nueva York, pero si lo hizo, nunca quedó registrado en mi mente.

Cuando cumplí siete años, mi abuela decidió que las cosas tenían que cambiar. No era correcto que una madre estuviera separada de su hijo y, además, su hija era ya lo bastante mayor como para ocuparse de su propio hijo. Por lo tanto, así de sencillo me separaron de todos y de todo lo que yo amaba, y me enviaron a Nueva York a vivir con una persona extraña y reacia que resultaba ser mi mamá.

El abuso comenzó gradualmente. Como yo me parecía mucho a mi padre, eso le recordaba constantemente a mi madre todas las cosas terribles que él le había hecho.

Yo derramaba la leche, y ella me golpeaba. Yo decía algo equivocado, palabras que otra madre podría corregir verbalmente, pero ella volvía a golpearme. Poco después me azotaba con cinturones y me golpeaba con sus zapatos. Una vez se rompió el tacón de uno de sus pares favoritos mientras me golpeaba en la cabeza.

Después de un tiempo ella pasó a agarrar alargadores, doblándolos para convertirlos en látigos y golpeándome con el extremo del enchufe, cubriendo mi cuerpo de magulladuras y contusiones.

Teníamos familiares en la ciudad que sabían acerca del abuso porque ella nunca intentó ocultarlo, incluso en reuniones familiares. Mis tías le gritaban: "Ya basta; ¡lo vas a matar!". Pero ella nunca se detenía y ellas nunca lo denunciaron. Debido al abuso constante me volví muy introvertido, extremadamente tímido y callado.

También en la escuela se metían conmigo. Sufría acoso escolar porque yo hablaba con acento del Caribe. Yo era lo bastante distinto para destacar. En Antigua había tenido amigos y alguien que me amaba; pero en Nueva York no tenía a nadie.

—

En Antigua había tenido amigos y alguien que me amaba; pero en Nueva York no tenía a nadie.

—

Cuando estaba en la secundaria, había pandillas por todas partes. En la actualidad podríamos oír sobre los Crips y los Bloods, o incluso los Stack Money Goons o los Very Crispy Gangsters. En ese entonces eran los Tomahawks, los Black Spades, y los Jolly Stompers. Si es usted seguidor de los deportes, quizá sepa que Mike Tyson se convirtió en miembro de los Jolly Stompers cuando tenía doce años.

Un día, me rodearon de veinte a treinta muchachos mientras iba caminando a casa después de la escuela. "Has sido escogido para los Jolly Stompers —dijeron, como si fuera algo ya hecho—. Ven a la cancha esta noche a las once". Pero yo era un niño ingenuo del Caribe que no quería tener nada que ver con las pandillas, y no les hice caso alguno.

Cuando me alcanzaron al día siguiente, me retuvieron y comenzaron a darme puñetazos y a patearme. "Preséntate en la reunión esta noche a las once", me dijeron. Pensé en hacer saber a mi mamá lo que estaba sucediendo, pero tenía miedo de que se enojara y también ella me golpeara. Temeroso y sin saber qué hacer, me quedé en casa otra vez.

Al día siguiente cuando me encontraron, me tiraron al suelo y comenzaron a pisotearme. "Sabemos dónde vives y qué autobús agarra tu madre para ir al trabajo. Si no apareces esta noche, le sucederá algo malo". Aunque yo creía que mi madre me odiaba, no quería que le hicieran daño.

Como ella trabajaba en el turno de noche como enfermera en un hospital local, me resultaba fácil salir de la casa sin que ella lo supiera. Cuando ella se fue a trabajar, emprendí camino hacia la cancha. Aquella noche supe cómo se unen a una pandilla los nuevos miembros. Entras en un combate individual con el líder. En mi caso, eso era una broma. ¿Cómo podía un muchacho de trece años plantar cara a uno de veinte? Sabía que me iba a machacar.

—

Aunque yo creía que mi madre me odiaba, no quería que le hicieran daño.

—

Recuerdo cómo comenzó: con un puñetazo en mi barbilla. Mi oponente me golpeó tan duro y tan rápido, que no logré dar ni un puñetazo. Después de darme un rodillazo en el estómago, golpeó mi espalda encorvada con sus puños hasta que me derrumbé. Tras patearme y pisotearme, dejó que los otros muchachos intervinieran. Finalmente, cuando decidió que yo había tenido suficiente, la golpiza se detuvo repentinamente.

Tumbado en el suelo y mirando a los muchachos que me habían atacado con tanta violencia, recuerdo pensar cuán extraño era verlos sonreírme. Entonces, todos comenzaron a reír.

Ayudándome a ponerme de pie, el líder me dio un abrazo y dijo: "Ahora eres uno de nosotros. Somos tu familia.

Cualquiera que se meta contigo, se mete con nosotros". Después, cuarenta o cincuenta muchachos se turnaron para abrazarme y felicitarme.

En lugar de sentirme herido o furioso, me sentí feliz por lo que había sucedido; casi entusiasmado. Finalmente, alguien quería que yo fuera parte de su grupo. Me alegraba mucho de pertenecer. Después de felicitarme, el líder me entregó el uniforme de un Jolly Stomper: una chaqueta de tela vaquera con las mangas recortadas y la insignia de la pandilla pintada en la espalda.

Todos tenían un apodo, parecido a "Gordo", "Elegante" o "Fantasma". Era un modo de reforzar nuestra identidad de pandilla. Como yo era alto para mi edad, me llamaron "Enano".

Cuando aparecí en la escuela al día siguiente con el uniforme de un Jolly Stomper, nadie me molestó. Los gamberros que me habían amargado la vida se convirtieron en cobardes al instante, aterrados por lo que la pandilla podría hacerles si me causaban algún otro problema.

¡Vaya! Estaba comenzando a disfrutar de los beneficios de ser parte de una pandilla. Yo pertenecía a esos muchachos y ellos me pertenecían a mí. Pero la pertenencia requería obligaciones. Yo tenía una tarea que hacer.

En ese tiempo había unos 120 miembros de los Jolly Stompers. Nuestra especialidad era robar en pequeñas tiendas y asaltar a personas en la calle. La mayoría de los muchachos tenían dieciocho, diecinueve o veinte años. Como el miembro más joven, yo era como una mascota. "Enano", me decían, "esta noche vamos a robar en una bodega. No queremos que resultes herido, así que solo quédate fuera y vigila. Si se acerca alguien mientras estamos dentro, grita".

Recuerdo un pequeño mercado donde robábamos repetidamente. Era un negocio familiar dirigido por una pareja de ancianos. Una y otra vez, esas dos personas mayores se acurrucaban en el rincón observando mientras la pandilla saqueaba su tienda, agarrando cerveza del refrigerador y dinero de la máquina registradora. Cuando ellos terminaban, entraba yo para recoger mi parte, llenando mis bolsillos de dulces y goma de mascar.

Aún puedo ver a las personas que asaltábamos, especialmente a aquella pareja de ancianos. Me sentía terrible por lo que estábamos haciendo pero no sabía cómo detenerlo.

Aunque yo iba con una pandilla, seguía siendo un muchacho callado e introvertido en casa. "¡Eres igual que tu padre!", me gritaba mi mamá. "Eres un inútil; ¡no sirves para nada!". Aunque ella seguía golpeándome, yo nunca intentaba defenderme porque creía que era así como los padres y madres trataban a sus hijos. Lo que mi madre no sabía era que en la noche mientras ella trabajaba, yo deambulaba por las calles. También faltaba a las clases, y me iba a beber cerveza con otros muchachos de la pandilla.

—

Me sentía terrible por lo que estábamos haciendo pero no sabía cómo detenerlo.

—

Ser un Jolly Stomper no solo significaba que eras parte de una familia, sino que también tenías enemigos comunes. Podían surgir guerras callejeras rápidamente si otra pandilla pensaba que estabas invadiendo su territorio, o si alguien no se sentía respetado, o si había una discusión por alguna chica. En aquella época se usaban principalmente cuchillos, bates, nudillos de acero y cadenas, pero también había pistolas.

Un día se corrió la voz de que íbamos a aparecer a medianoche totalmente armados para una pelea con los Tomahawks. En cuanto comenzó la pelea, estaba claro quién iba a ganar porque nos sobrepasaban en número con mucha diferencia. Todos los Jolly Stomper escaparon excepto yo. Había contado con que mis compañeros de pandilla me guardarían la espalda, pero eso era una fantasía. Ellos estaban demasiado asustados.

Antes de que me diera cuenta estaba tumbado en el suelo con veinte muchachos a mi alrededor. Tomaron turnos para patearme y pisotearme la cabeza. Uno de ellos me acuchilló con un pincho metálico.

Esto se acabó, pensé. *Tengo trece años y voy a morir. Van a patearme hasta hacerme pedazos; me romperán los brazos, las piernas, las costillas, ¡todo!* Absorbí un golpe tras otro hasta que el dolor me dejó insensible. Hecho una pelota y con los brazos protegiéndome la cabeza, sabía que estaría muerto si ellos no se detenían. Sentí que me iba quedando inconsciente.

Pero entonces, de repente, escuché el sonido de sirenas. Cuando llegaron los policías, todo el mundo se dispersó. No sé qué les dio esa pista; quizá estaban patrullando por el barrio, pero la zona donde estábamos peleando no era visible desde la calle. Muchas veces ellos no descubrían las peleas hasta que habían terminado, si es que alguna vez se enteraban. Pero esa noche aparecieron justo a tiempo para salvarme la vida.

Los Tomahawks se habían cebado conmigo. Tenía la cara tan inflamada que no podía abrir los ojos, pero al menos estaba con vida. En lugar de ir a mi casa y enfrentarme a la furia de mi madre, me quedé en la casa de mi tía hasta ponerme mejor.

Ella convenció a mi madre de que si nos quedábamos en Brooklyn yo terminaría muerto o en la cárcel. Por lo tanto, de la noche a la mañana nos mudamos a Miami. Yo no podía creer la diferencia que había. Comparado con Nueva York parecía un paraíso, lleno de pastos verdes y bonitas casas.

En lugar de estar con pandillas, comencé a participar en los deportes. Todos me preguntaban: "¿Con qué equipo vas a jugar?". Cuando el entrenador de básquet vio mi altura, dijo: "Te queremos para el equipo". Cuando el entrenador de fútbol americano me vio, dijo: "No, jugarás al fútbol".

Las cosas también iban mejorando en casa. Cuando yo tenía dieciséis años, mi madre comenzó a darme más espacio. Las golpizas eran menos frecuentes aunque ella seguía diciéndome que yo era un delincuente juvenil que no servía para nada y que solamente ocupaba espacio en el planeta. Lo oía con tanta frecuencia que pensaba que ella debía tener razón.

Por fortuna, yo era bueno en el básquet; muy bueno. Había comenzado a jugar cuando estaba en la secundaria. En mi segundo año ya era un MVP (jugador más valioso) y un All-American (mejor jugador amateur). Con eso llegaron cinco becas universitarias. Normalmente, si estás en la secundaria y llegas a ser MVP y All-American, tus padres se emocionan mucho. *Vaya, mamá, ¿puedes creerlo? Papá, ¡entré en los All-American! Mira, ¡me ofrecieron cinco becas! ¿Cuál debería aceptar?*

Pero mi papá no estaba, y a mi mamá no le importaba. De todos modos, ella no tenía planes de enviarme a la universidad. Por lo tanto, mi entrenador me ayudó a decidir qué beca aceptar. Auburn me ofrecía matrícula gratuita pero sin alojamiento, de modo que escogí una pequeña universidad en Atlanta que cubría todos mis gastos.

Al principio, las cosas iban bien en clase y en la cancha de básquet. Comencé a sentirme mejor conmigo mismo y más esperanzado acerca del futuro. Quizá mi madre se equivocó conmigo, y tal vez yo podría hacer algo con mi vida. Pero durante mi segundo año sufrí una grave lesión en la pierna que puso fin a mi carrera en el básquet. Sin tener una beca, tenía que dejar la universidad. Regresé a casa con una escayola en la pierna que me llegaba hasta el muslo.

Pero en casa las cosas eran distintas. Mi madre tenía un nuevo esposo y un bebé, y yo no encajaba. Ella no quería tener ninguna relación con un hijo inútil que le recordaba a su despreciable exesposo.

En cuanto me quitaron la escayola regresé a Nueva York y encontré un empleo para el verano. Mi sueño siempre había sido ir a la escuela de vuelo. Como mi altura era de seis pies y cinco pulgadas (1,94 metros), demasiado alto por una pulgada para las Fuerzas Aéreas, escogí una escuela en Tulsa, Oklahoma, que se anunciaba en el periódico. Entre el dinero que gané con el empleo y un regalo de mi tía y mi tío, tenía mil dólares en mi bolsillo cuando me subí a un autobús con destino a Tulsa.

Tras matricularme en la escuela, encontré rápidamente un compañero de cuarto y un empleo lavando platos en Denny's. Ahí estaba otra oportunidad de lograrlo. Pensaba: *No importa si no tengo padres. Llegué a ser MVP y All-American yo solo. Me va muy bien así.* Y estaba solo.

Pero después de un tiempo perdí mi empleo en Denny's. Mi jefe me aseguró que volverían a contratarme en cuanto el negocio despegara, y que no pasaría mucho tiempo. Afortunadamente, mi compañero de piso estuvo dispuesto a cubrir mi parte hasta que volviera a tener empleo. Pero Denny's nunca volvió a llamarme, y no pude encontrar otro empleo. Tras varias semanas, mi compañero de piso me pidió a regañadientes que me fuera, pues necesitaba a alguien que pudiera ayudarle a pagar la renta.

Ya que parecía un revés temporal, no iba a salir corriendo de regreso a Nueva York. Estaba decidido a lograrlo por mí mismo, a mostrar a mis familiares, especialmente a quienes no habían intervenido para detener el abuso de mi madre, que yo podía llegar a ser algo.

Durante un tiempo dependí de amigos de Denny's que se turnaban para permitirme que durmiera en sus sillones. Yo seguía prometiendo que solucionaría las cosas, pero iba en una espiral descendente. Cuando finalmente me quedé sin casas de amigos donde poder dormir, terminé en la calle.

La mayoría de las personas piensan en adicción o enfermedad mental al pensar en las personas sin techo. Pero como deportista, yo siempre había tenido cuidado para evitar las drogas y el alcohol, incluso cuando todos los demás esnifaban coca y tomaban pastillas. Pero estaba deprimido, tan derrumbado que debió haber sido difícil estar cerca de mí.

Sin tener ningún lugar donde ir, me quedé en el callejón que había detrás de mi viejo edificio de apartamentos. Un día observé que una familia se estaba mudando de su apartamento, y tiraron al contenedor de basura muchas cosas, incluido un viejo colchón. En cuanto se fueron, lo saqué arrastrando y lo cepillé. Desde entonces dormí en ese raído colchón en un sucio callejón entre dos edificios de apartamentos.

Uno de mis amigos de Denny's aún intentaba ayudarme a salir de aquello. Metía en una bolsa de plástico sobras de comida y la depositaba en el contenedor donde yo la encontraría. Pero después de un tiempo dejó de hacer eso. Desesperado por conseguir dinero, comencé a vender mi plasma al banco de sangre local dos veces por semana. Cada donación me proporcionaba siete dólares, la mayoría de los cuales gastaba en barras de pan para llenar mi estómago.

¿Por qué no conseguí ayuda o fui a un albergue para los sin techo? Creía que eran para personas mayores o para indigentes. Yo era un All-American, un tipo que estudiaba para ser piloto. Iba a encontrar mi propio modo de salir de mis problemas.

Cuando vives en las calles, no puedes estar limpio; nunca te sientes seguro, y no tienes privacidad. No hay ningún refugio del mal tiempo, y nunca hay suficiente para comer. Recuerdo estar tumbado en aquel callejón y preguntarme cómo me había hundido tanto. ¿Cómo llegué hasta ahí? No había ninguna otra respuesta aparte de la que mi mamá siempre me había dado: yo no valía para nada, era un inútil, un gran cero igual que mi padre. Era una basura que vivía al lado de un cubo de basura. Todas sus predicciones sobre mí se habían hecho realidad.

—

**Todas sus predicciones sobre mí
se habían hecho realidad.**

—

Dormir se convirtió en mi vía de escape. Cuando dormía, dejaba de sentirme hambriento y solo.

Recuerdo que tuve un sueño muy gráfico con la vieja película *Sonrisas y lágrimas*. En lugar de solamente verla, yo era parte de ella, corriendo y dando vueltas con Julie Andrews en ese prado verde. Mientras estoy soñando, estoy feliz. Pero entonces me despierto y veo que sigo estando sucio, desesperanzado y hambriento. Estoy aturdido, mareado y solo. A estas alturas he vendido tanto plasma que la enfermera tiene dificultades para encontrar una vena para extraerme sangre.

Finalmente tomo una decisión. Me digo a mí mismo: ¿Sabes qué? Me gusta tanto dormir que voy a irme a dormir y seguir durmiendo. No voy a volver a despertarme. Estoy cansado de vivir de este modo. No le importo nada a mi padre, y no le importo nada a mi madre. No le importo nada a nadie. Ya no puedo seguir viviendo así. Ya estoy harto.

En lugar de comprar pan con el dinero que gano vendiendo mi sangre, decido comprar un bote de pastillas para dormir. Voy a irme a dormir, y voy a quedarme en ese prado para siempre, dando vueltas bajo la luz del sol con las montañas rodeándome.

Como mi cama está en medio de dos edificios de apartamentos, estoy acostumbrado a oír el sonido de radios y televisores que sale por las ventanas abiertas. Esta noche mientras estoy sentado en ese colchón, agarrando con una mano las pastillas y con la otra una botella de agua, de repente oigo el sonido de la voz de un hombre. Proviene de un apartamento cercano.

La voz es muy clara, y puedo decir que pertenece a un predicador. "Dios te ama —dice—. Jesucristo dio su vida por ti". Hay tanta bondad en esa voz, tanta ternura, que comienzo a llorar sin poder controlarme. Él parece estar hablándome solamente a mí. "Él murió para darte un nuevo comienzo". Sus palabras entran a ese lugar oscuro en mi corazón donde no hay ninguna esperanza. Siento que algo se aviva, que algo cambia en mi interior. Sigo escuchando.

Sería muy equivocado decir que me sorprende lo que oigo. No, estoy estupefacto. *Realmente hay un Dios, ¡y Él me ama!* Ahora el hombre dice que debería invitar a Jesús a entrar en mi corazón. Levanto mi mirada hacia el cielo nocturno, y digo: "Te acepto; te acepto; te acepto en mi vida. No sé lo que significa eso, pero te acepto". Le ruego a Jesús que entre en mi vida y Él lo hace, dándome mucha paz. Me cubre por completo, y estoy rodeado de ella.

—

Sus palabras entran a ese lugar oscuro en mi corazón donde no hay ninguna esperanza. Siento que algo se aviva, que algo cambia en mi interior.

—

A la mañana siguiente me despiertan los rayos de la luz del sol. Aún sigo tumbado en ese colchón raído en ese callejón sucio, pero todo ha cambiado. Me siento distinto, como si algo en mi interior hubiera cambiado. Pienso: *Él me tiene. Voy a estar bien.*

———

Al mirar atrás a aquel tiempo, me sorprende cuánto gozo puede sentir una persona en medio de unas circunstancias tan terribles.

Más adelante ese mismo día me dirigí hacia Denny's para ver si mi amigo podía darme algo para comer. "Escucha" —me dijo—, el gerente está buscando a alguien para lavar los platos una noche por semana. Quizá puedo hablar con él y conseguir que vuelva a contratarte". Entonces me invitó a su apartamento para que pudiera asearme y solicitar el empleo.

Era un salario mínimo y solamente una noche por semana, pero me contrataron. No pasó mucho tiempo hasta que una noche se convirtió en tres noches, y después fue un empleo a jornada completa. Para suplementar esos ingresos, comencé a trabajar en un motel que estaba enfrente de Denny's. De 7:00 de la mañana a 3:00 de la tarde yo era un empleado de mantenimiento, que arreglaba camas y sillas en el motel, y desde las 11:00 de la noche hasta las 7:00 de la mañana lavaba platos en Denny's. Poco después tuve dinero suficiente para abandonar el callejón, rentar una habitación, y regresar a la escuela de vuelo.

No pasó mucho tiempo hasta que recibí mi licencia de piloto. Nunca olvidaré mi primer vuelo en solitario. ¡Lo había logrado! No importaba que mis padres no me hubieran ayudado, porque Dios me había ayudado. Todas aquellas cosas terribles que mi madre había dicho de mí eran solamente una gran mentira, una mentira que ya no controlaba mi vida ni tampoco mi futuro.

Después de terminar la escuela de vuelo regresé a Nueva York. Conseguí todos los tipos de licencias que se pueden conseguir, una a una: licencia de piloto comercial, licencia de instructor de vuelo y licencia de instructor de instrumentos de vuelo. Eso significaba que estaba cualificado para enseñar a los pilotos cómo llegar a ser instructores de vuelo.

Cuando mi tío tomó nota de lo bien que me iba, me consiguió un empleo con un contratista sindical que pagaba mucho mejor de lo que un instructor de vuelo podía ganar; por lo tanto, tenía un empleo en la construcción en Manhattan durante la semana y como instructor de vuelo los fines de semana. Después de un tiempo comencé dos empresas distintas: una empresa de reformas del hogar y un taxi aéreo. Para entonces me iba tan bien que no tenía ninguna preocupación por no tener suficiente.

Varios años después de experimentar el amor de Cristo en aquel callejón en Tulsa, comencé a alejarme de Dios. Aunque sabía que Jesús me había rescatado, realmente no había crecido en mi fe. Ahora que tenía seguridad financiera, comencé a alejarme lentamente, pensando que podía manejar las cosas por mí mismo.

Me casé cuando tenía veintidós años, pero no tenía ni la menor idea de cómo ser un buen esposo. Mi esposa y yo teníamos tantos problemas que nuestro matrimonio se derrumbó en menos de dos años. Después de aquello viví con una novia y tuvimos un hijo. Un año después, esa relación también fracasó.

Un día, alguien me invitó a un concierto de un coro en el Madison Square Garden. Íbamos a encontrarnos fuera, pero ella nunca se presentó. Era viernes en la noche y yo no tenía nada que hacer, de modo que en lugar de irme a casa decidí entrar durante un rato. Pensé que escucharía un poco de música y después me iría; además, sentía curiosidad. ¿Cómo podría el coro de una iglesia arreglárselas para conseguir llenar la principal sala de conciertos de Nueva York?

Pero la música era tan hermosa, y las historias que contaban las personas sobre cómo Dios había cambiado sus vidas eran tan poderosas, que podría haberme quedado allí toda la noche.

Entonces un hombre comenzó a hablar. No recuerdo todo lo que dijo esa noche, pero habló sobre el amor de Dios de tal manera que penetró en mi corazón. Sentí como si Dios mismo estuviera sentado a mi lado, rodeándome con su brazo y diciéndome cosas. *Todos estos años has estado buscando un padre, alguien que te cuidara y te protegiera; pero tienes un padre, y tu padre está*

aquí mismo contigo. Yo te daré el amor que has deseado. Te ayudaré a pelear
tus batallas y a vivir tu vida.

—

Yo te daré el amor que has deseado. Te
ayudaré a pelear tus batallas y a vivir tu vida.

—

En ese momento, rendí por completo mi vida a Cristo. Comprendí que Él era el puente hacia mi Padre celestial.

"Padre mío, mi papá, mi papito, mi Dios", comencé a decir. Ahí estaba yo, expandillero, delincuente juvenil y deportista, y hablaba a Dios de ese modo porque Él se había convertido en el amor de mi vida.

Después de aquello comencé a asistir a la iglesia que había patrocinado el concierto. Mientras oraba y mientras otros oraban conmigo, Dios comenzó a sanarme. Todas las cicatrices de todo lo que me había sucedido comenzaron a curarse. Me había sentido muy vacío por dentro, pero ahora ese vacío estaba lleno. Ya no importaba que mis padres nunca me hubieran dicho que me amaban y que probablemente nunca lo harían. Tenía todo el amor que necesitaba. Mi sanidad dependía de Dios, no de ellos.

A veces cuando imagino a Jesús, lo veo con las marcas de los clavos aún en sus manos, y eso me hace pensar en mis propias heridas. Debido a que Él resucitó de la muerte, las heridas de Jesús señalan su victoria. Como yo pertenezco a Él, mis heridas también lo hacen.

Después de un tiempo conocí a una mujer que asistía a esa misma iglesia. En lugar de estar emocionado por la relación, mis sentimientos me asustaban. Ya había llegado a la conclusión de que nunca llegaría a ser un buen padre o un buen esposo debido a mi trasfondo familiar. ¿Acaso no eran prueba suficiente de eso mis otros intentos con la intimidad?

"Siempre que me veas —le dije a la mujer— por favor, evítame. Vete por otro camino". Durante los siguientes seis meses nos mantuvimos apartados. Si ella me veía en el vestíbulo o en la galería de la iglesia, se daba media vuelta y caminaba en dirección contraria. Y yo hacía lo mismo.

Durante ese tiempo le dije a Dios: *Te amo más que a la vida misma, pero nunca me casaré porque todas mis relaciones en el pasado han terminado hechas pedazos.* Un día, mientras oraba, pensé que le oí a Él decirme: *Estás a punto de perder lo mejor que te sucederá nunca.* Parecía como si me estuviera hablando como mi Padre, prometiendo enseñarme todo lo que necesitaba aprender para que no perdiera a la mujer que amaba.

No pasó mucho tiempo más hasta que me las arreglé para captar la atención de ella, aunque intentaba evitarme. Aunque no habíamos hablado en seis meses, las palabras salieron a borbotones de mi boca: "No sé cómo ser un buen esposo o un buen papá, pero te amo, y no creo que Dios quiera que te deje ir. ¿Querrás darme otra oportunidad?".

Fui muy torpe y poco elocuente, y no tenía ni idea de lo que ella pensaba. Sin mirarme ni decir una sola palabra, ella se dio media vuelta y se alejó. Me sentí un completo necio.

Una hora después, ella me llamó para decirme que también me amaba. Nos casamos unos meses más tarde. A pesar de mi pasado, Dios me bendijo con una mujer extraordinaria. Tras ocho años de matrimonio, puedo mirar atrás a todo el amor que ella me ha brindado y ver cómo Dios ha obrado por medio de ella para producir sanidad en mi vida.

Celebrando un momento que nunca pensé que llegaría.

Hace dos meses tuvimos una hija y le pusimos el nombre

de Grace (Gracia). La pequeña Grace nos recuerda a los dos todas las bendiciones que Dios ha derramado sobre nosotros aunque sabemos que no las merecemos.

Hay una canción titulada "Dios está cantando sobre mí". Sé que Dios sin duda cantó sobre mí. Él ha visto mi sufrimiento y ha oído mi clamor. En el momento correcto, Él dijo: "¡Ya basta!". Ya basta de dolor, basta de oscuridad, basta de no conocerlo a Él. Ha llegado el momento de mi liberación.

Desde aquella noche en el callejón, me he preguntado muchas veces: *¿Por qué estaba ese televisor sintonizado en ese programa en particular? ¿Por qué el predicador comenzó a hablar sobre el amor de Cristo justamente cuando yo estaba a punto de tragarme esas pastillas? ¿Y si las personas que vivían allí hubieran salido aquella noche? ¿Y si no hubieran abierto sus ventanas?* Yo había estado en aquel callejón durante meses, pero en todo ese tiempo nunca había oído a nadie hablar sobre Dios o su amor. ¿Por qué se alineó todo tan perfectamente aquella noche?

Porque Dios sabía todo. Él sabía cuándo era el momento adecuado, el momento exacto en que mi corazón estaría abierto a Él.

Lo cierto es que Él conoce el momento adecuado en la vida de cada persona.

Él no ignora nuestro clamor pidiendo ayuda. Si nos entregamos a Él, Él deshará y enderezará cada mentira que el enemigo nos haya dicho. Él nos sanará y nos restaurará.

—

Si nos entregamos a Él, Él deshará y enderezará cada mentira que el enemigo nos haya dicho.

—

A veces, las personas se acercan a Dios y después se alejan, como hice yo. Su afecto por Él se enfría. Sin duda, Él es quien dice que es: el Padre de los huérfanos, quien está preparado para rodearnos con sus brazos y reclamarnos como suyos.

LAS HISTORIAS DE TIMINEY Y RICH

Timiney Visser se crió en Austin, Texas. Su brillante personalidad y su sonrisa acogedora hacen pensar en una animadora o una azafata de vuelo, una persona optimista y extrovertida por naturaleza. Durante varios años trabajó para una aerolínea internacional que la llevó a algunos de los destinos más glamurosos del mundo. Al conocerla, uno nunca supondría que tenía un pasado que no podría dejar atrás.

Rich Crisalli es un exinversor de Wall Street. Socio en una exitosa firma, tenía todo lo que quería: autos caros, una casa de un millón de dólares y muchas novias. ¿Por qué se sentía tan infeliz?

TIMINEY

—

LA IGLESIA SIEMPRE FUE parte de mi vida, y los recuerdos que tengo de ella son tan gráficos como los recuerdos de mi hogar. Pero contrariamente a los cielos brillantes sobre Austin (Texas) donde me crié, mis recuerdos de la iglesia están tintados de oscuridad.

Mis primeros recuerdos de mis padres son también oscuros. Cuando uno tiene cinco años de edad y está a punto de viajar a British Columbia para reunirse con su papá por primera vez, y cuando personas te ungen con aceite y oran por ti pidiendo a Dios que te proteja como si tu padre fuera el diablo encarnado, eso tiene su manera de arrojar sombras sobre el pasado.

No es que mi papá fuera un mal tipo. El problema era que él era de fuera; él no pertenecía a la iglesia.

—

Nosotros pertenecíamos a una iglesia que controlaba cada aspecto de nuestras vidas.

—

Me crié sabiendo que mi mamá amaba a Dios y que Él había actuado con poder en su vida después de que mi padre y ella se divorciaron cuando yo era una niña pequeña. Pero necesité algún tiempo para entender que nosotros pertenecíamos a una iglesia que controlaba cada aspecto de nuestras vidas.

Mi primera visita con mi papá debió haber ido bien porque pasé cada verano a partir de entonces con él y su nueva familia. Me encantaban aquellos veranos canadienses porque me sentía libre para ser como los demás niños, vistiendo pantalones cortos, viendo televisión, nadando, esquiando en el agua, y divirtiéndome.

Mi padre debió quedarse perplejo cuando yo me presentaba cada año solamente con faldas y vestidos en mi maleta. Cada verano, él y mi madrastra me llevaban de compras para adquirir pantalones cortos y un traje de baño. Aunque puede que él supiera que en casa no se me permitían tales libertades, nunca hablé con él sobre todas las reglas.

Mientras más tiempo asistía a la iglesia, más iba mejorando en ocultar la verdad con respecto a cómo me sentía. A medida que fui creciendo, era sencillamente demasiado doloroso explicar a los compañeros de clase que yo no podía hacer deporte o marchar en la banda de la escuela porque hacerlo significaría tener que vestir un uniforme con pantalones. Así que no hacía caso a esas cosas, y fingía que me gustaba vestir faldas hasta la altura del tobillo y que no me gustaba llevar sandalias, incluso cuando el calor de Texas era asfixiante. Eso parecía mucho mejor que decir la verdad: que no me permitían enseñar las piernas o los dedos de los pies porque eso sería inmodesto.

Como cualquier otra persona a esa edad, yo no quería destacar. Quería mezclarme con las otras muchachas, poder pintarme las uñas de los pies o mirarme al espejo y verme a mí misma con algunas joyas y maquillaje. Pero también eso estaba prohibido.

Había igualmente otras restricciones. Por miedo a que los jóvenes pudieran caer en el pecado sexual, la iglesia alentaba a casarse temprano. Se evitaba a cualquiera que tropezara en esta área, porque la iglesia enseñaba que, debido a que Jesús murió una sola vez, nadie tenía más de una oportunidad de perdón a menos que el pastor y los ancianos decidieran otra cosa. Una vez que pertenecías a la iglesia, se suponía que tenías que ser perfecto.

Muchas señoritas se casaban cuando tenían catorce años. Por fortuna, mi papá se enteró de esa práctica e intervino para asegurarse de que eso no me sucediera a mí.

Incluso los adultos estaban sujetos al control de la iglesia. En algunos casos, no podías solicitar un nuevo empleo o salir de la ciudad para hacer un viaje sin pedir el permiso del pastor. También había mucha presión en cuanto a cortar lazos con familiares y amigos que no pertenecían a la iglesia.

Aunque yo amaba mis veranos de libertad, me sentía en conflicto y confusa cuando iba de un lado al otro entre Texas y Canadá. Me preocupaba que pudiera pasar la eternidad en el infierno por vestir traje de baño y ver películas; estaba segura de que Dios estaba enojado y decepcionado conmigo.

—

**Me preocupaba que pudiera pasar la
eternidad en el infierno por vestir traje
de baño y ver películas.**

—

Con temor a expresar mi confusión porque eso habría sido considerado "rebelión", "rechazar al Espíritu Santo", me preguntaba privadamente dónde decía la Biblia que uno no podía tener sueños, no podía explorar sus talentos practicando deportes, no podía marchar en la banda o llegar a ser animadora.

Al menos me permitieron asistir al baile de graduación, pero solamente porque yo era presidenta de la clase. Incluso entonces tuve que enseñarle al pastor una fotografía de mi acompañante, asegurándole que éramos solamente amigos.

Batallé por años hasta que decidí que no tenía otra opción sino la de despedirme de la iglesia. A pesar de lo mucho que había deseado tener libertad, irme fue doloroso, como quitar un esparadrapo de una herida infectada que podría no curarse nunca. Como me había criado en esa iglesia, sus miembros eran para mí como mis tías, tíos, hermanos y hermanas. Por lo tanto, cuando me fui de allí fue como divorciarme de mi familia extensa.

Mis recuerdos de la iglesia estaban tintados de oscuridad.

Después de aquello, nadie me hablaba. Ellos simplemente seguían las normas, porque ahora yo estaba fuera.

Tras irme de la casa, me fui a vivir con una amiga. Por primera vez en mi vida, a los veinticuatro años de edad, comenzaba a aprender a pensar por mí misma y a tomar mis propias decisiones. Empecé tomando un curso para ser asistente jurídico certificado. Cuando comencé a tener citas con muchachos, me rompieron el corazón un par de veces porque yo era muy ingenua.

Aunque quería vivir una vida moral, estaba decidida a no tener nada que ver con la religión. Debido al modo en que me había criado, la fe parecía una broma, algo surrealista. El Dios del que aprendí no tenía otra cosa para mí excepto daño y quebrantamiento. ¿Por qué iba yo a querer creer en Él? ¿Por qué querría seguirlo? Asistir a una boda o un funeral en la iglesia era suficiente para hacer sonar las alarmas. Simplemente estar dentro de una iglesia y oír leer la Biblia hacía que se me retorciera el estómago.

Por debajo de todo aquello había una capa impermeable de temor. Batallando con pensamientos suicidas, comencé a reunirme con una terapeuta con la esperanza de que ella pudiera ayudarme a desentrañar las heridas de mi pasado.

Un día, mientras organizaba en línea un viaje para mi jefe, vi un anuncio de una importante aerolínea comercial solicitando ayuda. Todos aquellos veranos en los que viajaba de ida y regreso desde Texas a British Columbia me habían hecho soñar con llegar a ser asistente de vuelo. Se me antojó y envié una solicitud. Tras una serie de entrevistas, me ofrecieron un empleo y me dieron dos semanas para decidir.

Dos semanas para dar el salto; o no. Dos semanas para descubrir si yo tenía las agallas de decir sí al sueño de toda mi vida. Aceptar el trabajo significaría dejar atrás mi burbuja en Texas y mudarme a Nueva Jersey, donde tendría mi base. Sería lanzada a una cultura completamente distinta donde no conocía a nadie. De algún modo encontré el coraje para decir sí.

Trabajar como asistente de vuelo fue absolutamente increíble. Después de vivir una vida tan pequeña en Texas, de repente estaba viviendo a lo grande, viajando a Londres, París y Génova. Como el ave proverbial en una jaula, yo había extendido mis alas y me había alejado volando.

—

Aunque estaba orgullosa de forjar una nueva vida para mí misma, aún seguía luchando contra los fantasmas de mi pasado.

—

Aunque estaba orgullosa de forjar una nueva vida para mí misma, aún seguía luchando contra los fantasmas de mi pasado. Ahora que estaba más alejada de la iglesia en tiempo y en distancia, sentimientos que había intentado bloquear comenzaron a fortalecerse. Era como si alguien hubiera girado el botón de una estufa hasta lo más elevado. Emociones que cocían comenzaron a hervir, y tenía que tratarlas; pero no sabía cómo hacerlo. Me sentía enojada y resentida. ¿Por qué me había sentido tan avergonzada siempre que quebrantaba la más mínima regla? ¿Por qué me habían obligado a ocultar mis pensamientos y a negar mis sentimientos? Nunca me habían permitido explorar mis talentos o ni siquiera aprender de mis propios errores. ¿Por qué me habían privado de una niñez normal?

Incluso mientras tenía esas luchas internas, volar me seguía produciendo alegría. Me gustaba conocer a personas nuevas y explorar distintas culturas siempre que el tiempo lo permitía.

Una mañana, estaba trabajando en un vuelo que tenía escala en Miami. Mientras comprobaba los asientos para asegurarme de que las mesas estaban subidas y el equipaje en su lugar, no tenía ni idea de que había abordado un vuelo que estaba a punto de llevarme a territorio no explorado.

Respondiendo a una llamada desde uno de los asientos cuando estábamos preparando el avión para el despegue, vi a un hombre sentado solo. Parecía un poco rudo, como si no se hubiera afeitado ni bañado. Me preguntaba si podría tener resaca.

—Sí, señor, ¿en qué puedo ayudarle?

—Ah, yo no pulsé el botón —me explicó—. Había dos mujeres sentadas a mi lado que deben haber ido al baño. Creo que querían agua.

Podía decir por su acento que era de Nueva York. Sonriendo, repetí la palabra como sonaba para mis oídos texanos:

—¿Aaagua? —aunque solamente estaba siendo amigable, él debió pensar que estaba coqueteando.

—Oiga, ¿se está burlando de mi acento? —dijo. Entonces me pidió que cenara con él alguna vez.

—Sí, claro, está bien —dije, mientras pensaba: *¡De ninguna manera! El tipo era un caos. ¿Por qué querría yo salir a cenar con él?* Decidida a ignorarlo durante el resto del vuelo, pedí a otra de las asistentes que se ocupara de lo que él necesitara.

En cuanto aterrizó el avión y llegamos a la puerta en Newark, se me pasó por la cabeza una idea: *Dale tu número.* Era extraño, pero de repente me pareció que eso era lo correcto, así que lo escribí en una servilleta y se lo entregué mientras él salía del avión.

Dos semanas después, Richie y yo estábamos cenando juntos en Manhattan. En cuanto llegamos al restaurante, él hizo una confesión: —Cuando hablé contigo por teléfono el otro día —dijo— te dije que tenía treinta y cinco años, pero en realidad tengo cuarenta.

Como yo tenía solo veintiocho años, me quedé un poco sorprendida. Si hubiera sabido cuál era su verdadera edad me habría negado a salir con él, pero allí estábamos cenando en un bonito restaurante y disfrutando de la compañía mutua.

En la tercera cita, yo ya estaba enganchada. Algo en su personalidad me atraía. Él era cordial, era divertido estar con él, y me trataba tan bien que comencé a preguntarme si podría ser "la persona indicada".

Siempre estábamos de fiesta.

No estaba acostumbrada a salir con alguien que tuviera tanto dinero. Richie trabajaba en Wall Street y tenía todo lo que cualquiera podría querer. Él podía permitirse tener cualquier cosa. Siempre estábamos de fiesta, comiendo en restaurantes estupendos y recibiendo un trato VIP dondequiera que íbamos. Pero después de un tiempo observé algo que me inquietó. Richie bebía mucho. Al principio de la noche él era adorable, pero después de varios tragos se volvía mezquino; y después de un rato parecía un hombre totalmente distinto.

También noté su hábito de mirar a otras mujeres. Al principio no me lo tomé muy en serio; después de todo, yo tenía a mi favor mi juventud. No tenía idea alguna de que los problemas de Richie eran mucho más profundos que simplemente una apreciación casual de las mujeres bellas.

Una noche, después de haber estado saliendo aproximadamente durante un año y medio, vi que había en su teléfono mensajes de texto de varias mujeres. De repente me di cuenta de la verdad. Yo había pasado de una vida loca a otra, desde el extremo de ser controlada por la iglesia a estar con un hombre que se emborrachaba y me engañaba. Esa no era la vida con la que había soñado cuando me había ido de la iglesia.

Justamente después de aquello rompimos, y comencé a batallar de nuevo con la depresión. Había pasado de ser una muchacha que lo tenía todo (un trabajo estupendo, un hombre estupendo y una vida estupenda) a otra a quien le resultaba difícil levantarse de la cama para ir al trabajo. Cuando te sientes deprimido, tiendes a pensar en todo lo malo que te ha sucedido, de modo que eso me llevó otra vez a mi niñez y a la iglesia.

Después de que Richie y yo dejamos de tener citas, comencé a salir con un hombre tras otro, sin ningún compromiso. Cuando vuelas todo el tiempo, pasas mucho tiempo en distintas ciudades con personas diferentes y suceden cosas locas. Yo permití que me sucedieran a mí.

Un poco después de la ruptura entre Richie y yo, llegó de visita una amiga que en Texas era para mí como mi familia.

Aunque su esposo y ella se habían ido de la iglesia por las mismas razones que yo, seguían creyendo en Dios.

Aunque me encantaba enseñarle Nueva York, sentí ansiedad en cuanto ella mencionó su deseo de asistir a la iglesia el domingo. "Yo ya no voy a la iglesia", le expliqué. Pero ella seguía diciéndolo, y yo cedí.

Ese domingo emprendimos camino hacia una iglesia en el centro de Manhattan, una de la que yo había oído por otra asistente de vuelo. Fue extraño que el sermón de ese día hablara sobre personas que habían sido heridas por la religión. Puede que hubiera varios de nosotros en la reunión ese día, pero yo no podía evitar sentir que mi corazón era la diana para ese mensaje. Intenté con fuerza evitar las lágrimas.

Cuando mi amiga intentó hablarme de ello después, le resté importancia. Bloquear las cosas era una habilidad que yo había aprendido desde niña. Era mi modo por defecto siempre que cualquier cosa era demasiado dolorosa. Yo iba a bloquear también aquello.

Pasó otro año. Para entonces yo iba de fiesta en fiesta como loca y cruzaba líneas que había prometido que no cruzaría nunca. Aunque no lo admitía ante mí misma, me sentía avergonzada porque tenía una aventura amorosa con un hombre casado.

Una noche mientras estaba trabajando en un vuelo nocturno, observé a un caballero de bastante edad sentado en su asiento y leyendo la Biblia. Todos los demás estaban durmiendo. Tras agacharme a su lado para preguntarle si necesitaba algo, me permití a mí misma ser conducida a una conversación sobre Dios. Recuerdo que él me decía que Dios me amaba.

"No, usted no lo entiende —dije—. Lo he intentado con Dios". ¿Cómo podía decirle que durante los primeros veinticuatro años de mi vida había hecho todo lo posible por vivir para Dios pero eso no había funcionado?

—

¿Cómo podía decirle que durante los primeros veinticuatro años de mi vida había hecho todo lo posible por vivir para Dios pero eso no había funcionado?

—

Pero él fue muy amable y sincero, y había algo en su forma de hablar que encendió algo de esperanza en mi interior.

Aunque yo seguía teniendo una relación con el hombre casado, sentí una creciente sensación de intranquilidad. ¿Cómo me había hundido tan bajo? Al resultarme cada vez más difícil vivir conmigo misma, finalmente rompí la relación.

No pasó mucho tiempo antes de comenzar a ver a otra persona. Una mañana, tras una noche de fiesta, recorrí el camino de la vergüenza saliendo de su apartamento en Manhattan. Era domingo en la mañana y la ciudad estaba casi desierta. Sintiéndome sola y molesta por el tipo de persona en que me había convertido, miré al cielo y pensé: *Dios, ¿dónde estás? ¿Dónde estás?*

En lugar de subirme a un tren hacia Jersey, donde vivía, decidí buscar la iglesia a la que habíamos asistido mi amiga y yo un año antes. No había duda alguna de que yo no iba vestida para la ocasión; llevaba puesto un vestido muy corto de fiesta, el maquillaje estropeado, y mi cabello era un desastre. No me importaba. Finalmente había decidido agarrar mi persona hecha un caos e ir a la iglesia.

Cuando llegué, un ujier me acompañó por el pasillo hasta un asiento en la segunda fila. ¿Por qué no intentaba él ocultarme en la última fila en lugar de llevarme hasta el frente? Aunque yo no sabía la respuesta, sí sabía que estaba siendo aceptada tal como era.

No recuerdo nada sobre el servicio excepto que le dije a Dios: *No entiendo mi pasado. No entiendo la iglesia en la que me crié. No entiendo por qué sucedieron las cosas que me sucedieron, pero estoy lista para vivir para ti.* Y eso fue todo. Siete años después de haberme ido de la iglesia en Austin, caminé hacia los brazos de Cristo.

RICH

—

Acababa de subirme a un avión en Miami que se dirigía a Newark. Poco después de desplomarme en el asiento de la ventanilla, una mujer que iba sentada en la misma fila pulsó el botón de llamada. Un poco después, ella y su amiga se levantaron para ir al baño.

Enseguida, una bella asistente de vuelo de cabello rubio estaba a mi lado, preguntándome en qué podía ayudarme. Le expliqué que mis compañeras de asiento querían agua.

—¿Aaagua? —dijo ella sonriéndome mientras se estiraba por encima de mi cabeza para apagar la luz de llamada.

—Oiga, no debe burlarse de mi modo de hablar —le dije—. Usted es una asistente de vuelo, y eso no está bien. Entonces la invité a cenar conmigo.

Cuando ella dijo un rápido sí, pensé: *¡Vaya! Qué fácil ha sido.* A pesar de mi aspecto desaliñado, ella debió haber pensado, como hacían la mayoría de las mujeres, que yo era un hombre con dinero. También era un hombre con dolor de cabeza.

Había pasado las tres noches anteriores incorporando tanta diversión a mi supuesto viaje de negocios como el tiempo lo había permitido. Para mí, eso significaba beber sin parar y estar con una mujer diferente cada noche. Al menos podía descansar un poco en el avión.

Cuando nos preparábamos para aterrizar en Newark, me preguntaba por qué esa bonita asistente de vuelo no había regresado a verme. *Qué importa*, pensé. Pero cuando iba yo saliendo del avión, *¡ta chán!* Ella me sonrió y me entregó una servilleta con su número de teléfono apuntado.

Timiney y yo salimos a menudo y lo pasábamos muy bien juntos. Ella no sabía, porque yo no se lo dije, que yo había tratado muy mal a mi exnovia. Si discutíamos cuando estábamos por la ciudad, yo la echaba del auto rentado y le obligaba a que ella encontrara el camino hasta su casa. Podían ser las dos o las tres de la mañana, pero no me importaba. Si a ella no le gustaba mi modo de tratarla, yo siempre podía estar con la siguiente mujer.

Para mí, nunca se trataba de la relación; siempre se trataba de perseguir. Haces que el corazón de alguien se enganche, y entonces sigues adelante. Yo sabía que ninguna mujer me haría feliz jamás porque ninguna mujer lo había hecho nunca. Cuando estaba con alguien, siempre estaba buscando a otra, siempre a otra.

—

Yo sabía que ninguna mujer me haría feliz jamás porque ninguna mujer lo había hecho nunca.

—

Desde el principio le dije a Timiney que nunca volvería a casarme y que no quería tener más hijos. Esas cosas no eran negociables.

Tres años antes había abandonado a mi esposa y a mi hijo de diez años porque había decidido que ya estaba harto de la vida de casado. Ya no quería seguir atado, y estaba decidido a ganarme mi libertad a pesar de cuál pudiera ser el costo.

El costo fue muy alto. Como ya llevaba quince años de casado, le entregué a mi exesposa la casa y parte de mi cuenta de jubilación. También estuve de acuerdo en pagarle una buena pensión alimenticia permanente. No me importaba el dinero, pues siempre podía ganar más.

Entonces, ¿cómo llegué al punto en que las mujeres, la bebida y el dinero eran lo único que me importaba?

No puedo culpar a una niñez traumática, porque no la tuve. Mis padres se separaron cuando yo tenía cinco años, de modo que me crié entre dos hogares: uno en Staten Island donde vivía con mi mamá, y el otro en Queens, donde vivían mi papá y su esposa. Como el menor de tres hijos, a veces tenía la sensación de ser una ocurrencia tardía o una carga, como si dijeran: "Oigan, no olviden cuidar de su hermano pequeño". Ya que mamá tenía que trabajar, yo pasaba mucho tiempo solo y eso me hizo sentirme un poco inseguro. Aun así, mi niñez estuvo lejos de ser terrible.

Cuando era adolescente comencé a experimentar con la bebida y las drogas. Probé todo tipo de drogas que podía conseguir: mariguana, Tuinal, barbitúricos, ácido... Pero tras algunas experiencias malas, dejé a un lado las sustancias más duras y me quedé con la hierba.

La escuela nunca fue lo más destacado de mi vida, de modo que me alegré cuando finalmente me gradué. Me casé cuando tenía veintidós años, y poco después de aquello mi hermano mayor me ofreció un empleo en Wall Street, donde él trabajaba.

Me encantaba Wall Street. Comencé como mensajero, haciendo cualquier cosa que el jefe me decía que hiciera. Entonces avancé un poco al llegar a ser agente de comercio, después socio parcial, y finalmente socio pleno. Para entonces conducía autos caros y disfrutaba de una generosa cuenta para gastos. El dinero no dejaba de entrar.

Tener éxito en Wall Street se trataba de atraer clientes. Si alguna vez ha visto la película *El lobo de Wall Street*, y yo no la recomiendo, entenderá el modo en que yo vivía. Salía con los clientes y gastaba dinero en ellos para que ellos me proporcionaran negocio. Así funcionan las cosas. Haces fiestas lujosas, contratas a prostitutas, compras drogas. Haces lo que sea necesario. Entonces regresas al escritorio al día siguiente y hablas sobre quién hizo qué con quién. Si tú eres la persona extraña que no sigue el ritmo de todas las fiestas, todo el mundo cree que algo te pasa.

—

Haces fiestas lujosas, contratas a prostitutas, compras drogas. Haces lo que sea necesario.

—

Cuando Timiney y yo aún teníamos citas, contraté a un DJ y le organicé una impresionante fiesta para su treinta cumpleaños en el apartamento en Manhattan que mi empresa mantenía. Habrían estado unas trescientas personas allí. Poco después de aquello, rompimos.

Después comencé a tener citas con dos mujeres: una de veintiocho años y otra jovencita que solo tenía veintidós. Veía a una en la tarde y a la otra en la noche.

Cuando llegué a los cuarenta y dos años, estaba viviendo como si fuera un adolescente sin dirección, experimentando con hongos, con Éxtasis, y bebiendo todo el tiempo. Hacía lo que quería, siempre que quería, el día entero. Estaba totalmente fuera de control.

También estaba gravemente deprimido.

¿Es esto todo lo que hay en la vida?, me preguntaba. Tenía todo lo que quería: dinero, bebida, drogas, mujeres, casas y autos caros. ¿Qué otra cosa había?

Nada me satisfacía. Era difícil emocionarme con las cosas que solían gustarme. A esas alturas, mi vida se había vuelto depravada, y yo lo sabía. Estaba tan asqueado de mí mismo que pensé que podría perder la cordura. También pensé en suicidarme.

A pesar de sentirme deprimido seguía yendo a la oficina, porque tenía que seguir manteniendo mi estilo de vida.

Un día comencé a sufrir dolores en el pecho. Por temor a que fuera un ataque al corazón, fui al hospital, pero solamente era un ataque de pánico. Mientras estaba tumbado en la cama, comencé a pensar en lo mucho más sencilla que sería la vida si yo simplemente me volviera loco. Entonces me ingresarían en una institución y otra persona se ocuparía de mí. Mis preocupaciones terminarían.

Un rato después comencé a sentirme enfermo, como si fuera a tener gripe. No era ninguna sorpresa, ya que no había dormido mucho últimamente. La sorpresa llegó cuando descubrí que no era gripe, sino culebrilla (herpes zóster). Eso explicaba el horrible sarpullido que se extendía por toda mi cara y se acercaba a mi ojo.

El dolor era terrible y no cedía, y añadir el herpes a la situación era más de lo que yo podía soportar. Finalmente les dije a mis colaboradores que necesitaba un tiempo de descanso. Entonces llamé a Timiney. No sabía a qué otra persona llamar. Necesitaba una amiga.

TIMINEY

Después de aquel domingo en la iglesia, mi vida comenzó a cambiar. Le dije a Dios que empezaría a asistir a la iglesia regularmente pero que nunca, bajo ninguna circunstancia, me haría miembro de una de ellas. Eso sería pedir demasiado.

Durante el servicio, siempre que alguien leía un pasaje de la Biblia en particular que me recordaba a mi iglesia anterior, yo tenía que forzarme a mí misma a quedarme quieta en lugar de salir corriendo por la puerta, que era lo que quería hacer.

Un día, una amiga me invitó a su iglesia. Recuerdo estar sentada en el anfiteatro lo más alejada posible. La música de adoración era tan conmovedora y la presencia de Dios tan fuerte que seguí asistiendo.

Cada domingo yo era un caso perdido. Dios me estaba atrayendo, sanando, ayudándome a acercarme a Él. Para entonces ya no trabajaba como asistente de vuelo debido a una lesión prolongada, y eso significaba que estaba en casa sola gran parte del tiempo. Pero Dios estaba muy cerca de mí.

—

Él comenzó a sanarme de mi amargura y resentimiento.

—

Solía salir con muletas y cojeando al patio trasero de mi edificio de apartamentos, sosteniendo una Biblia y una botella de agua. Cada día leía la Biblia y pasaba horas a solas con Dios. Durante esos meses, Él comenzó a sanarme de mi amargura y resentimiento, y también me ayudó a hacerme responsable de mis propias decisiones equivocadas. Al mirar atrás entiendo que Dios estaba poniendo un fundamento fuerte para mi vida, sanándome, perdonándome y atrayéndome hacia Él.

Algunas veces Él estaba tan cerca que apenas me atrevía a respirar por temor a que, si lo hacía, eso pudiera interrumpir mi sensación de su presencia.

Después de un tiempo hice algo que dije que no haría nunca: me incorporé a la iglesia. Finalmente comencé a ayudar a uno de los pastores como voluntaria.

Un día recibí un mensaje de texto de un número que no reconocía. Alguien quería ponerse en contacto conmigo, pero al principio no sabía quién era. ¿Quién es?, pregunté. *Soy Richie*, decía el texto, *y estoy en una situación muy mala. ¿Podemos hablar por teléfono?*

Yo no había reconocido su número porque lo había eliminado de mi teléfono mucho tiempo atrás.

Cuando me llamó, le expliqué rápidamente que yo ya no era la persona que él conoció. Le dije lo feliz que era ahora que había entregado mi vida a Dios.

"Como quieras", dijo él. Estaba claro que necesitaba ayuda desesperadamente.

Aunque yo sabía que tenía que ser cauta, comencé a visitarlo. Cuando estábamos juntos, yo oraba o le leía la Biblia. A él no parecía importarle, probablemente porque estaba en un punto muy bajo. Él no podía hacer la colada, hacer las compras, o ni siquiera pagar sus facturas, así que lo ayudé con todas esas cosas. Yo llenaba sus cheques, y él los firmaba.

Después de unos tres meses él se recuperó lo suficiente para poder volver al trabajo. Yo regresé a mi vida y él a la suya. Para entonces, él tenía citas con otra mujer.

RICH

—

Debido al modo en que yo la había tratado, sabía que no tenía ningún derecho a llamar a Timiney, pero estaba desesperado. Cuando ella me dijo que no era la misma mujer que yo había conocido y que su vida era distinta, yo dije: "Como quieras. Me alegro por ti". No tenía la energía para interesarme. Tan solo necesitaba ayuda.

Ella fue buena conmigo, mucho mejor de lo que yo merecía, y después de unos meses regresé al trabajo. Poco después comencé a tener citas con otra mujer, aunque no estaba en posición para tener otra relación. Aunque no bebía tanto, batallaba con todos mis demonios.

Para entonces, mi empresa se tambaleaba financieramente debido a la recesión. Mis ingresos eran mucho menores, pero seguía teniendo enormes costos fijos: el pago de una pensión de manutención de seis cifras y los pagos de la hipoteca de una casa de un millón de dólares entre ellos. Parecía que todo se estaba agriando. Las cosas se pusieron tan mal que finalmente decidí irme de mi propia casa.

Un día, Timiney me escribió un mensaje de texto invitándonos a mi novia y a mí a un programa de Navidad en su iglesia. Mientras observábamos el desarrollo de la historia, algo en mi interior sencillamente se quebrantó. Estuve llorando durante todo el programa, y pasé después al altar. Debí haber llenado una tarjeta con mi información de contacto incluida, pero cuando alguien de la iglesia me llamó, yo no tenía ningún interés.

Para entonces estaba viendo a una psiquiatra, quien hacía lo posible para mantenerme vivo. Me dijo que quitarme la vida no era una opción porque no sería justo con mi hijo. Pensé en todos los años que había perdido con él debido a mi adicción sexual. Incluso cuando estábamos juntos, yo siempre pensaba en poder irme para así poder estar con otra mujer. No quería echar sobre él también el suicidio.

Dos años después de que Timiney y yo recuperamos el contacto, la llamé otra vez y la invité a salir por su cumpleaños. Aquella noche le conté todas las cosas horribles que yo había hecho, y lo saqué todo porque ella era una amiga y sabía que podía confiar en ella.

En lugar de darme la espalda asqueada, ella me dijo que Jesús era el único que podía ayudarme.

—

En lugar de darme la espalda asqueada, ella me dijo que Jesús era el único que podía ayudarme.

—

¿Cómo va a ayudarme Dios?, pensé. *Eso no tiene sentido. Él está allá arriba y yo aquí abajo. ¿Cómo puede Él cambiar algo en mi vida?* Simplemente no lo entendía.

Me negué a ir a la iglesia. "Eso no va a suceder", le dije. Lo cierto es que sentía que yo era demasiado malo para ir a la iglesia, como si pudiera salir ardiendo en el momento en que atravesara las puertas. O quizá Dios me haría caer muerto allí mismo.

Unos meses después, sintiéndome aún deprimido y con pensamientos suicidas, decidí que no tenía nada más que perder. *Está bien, voy a ir a la iglesia porque ninguna otra cosa está funcionando.*

TIMINEY
—

Cuando Richie se puso en contacto conmigo una segunda vez, supe que tenía que tener cuidado. Yo tenía una relación estupenda con Dios, y no quería que nadie me separara de Él. Cada vez que visitaba a Richie, que era una vez por semana, le pedía al Señor que guiara mi mente y mi corazón.

Muchas mujeres son tentadas a pensar que pueden "salvar" a los hombres que hay en sus vidas, y a menudo ellas son arrastradas en el proceso. Pero por la gracia de Dios no era así como yo pensaba con respecto a Richie. Yo no quería ser otra cosa aparte de una amiga. Cuando él me contó todo, quedó más claro que nunca que nadie sino Jesús podía resolver sus problemas, y yo le dije eso, pero él no quería oír nada sobre Dios o la iglesia, de modo que yo no forcé las cosas. Debido a mi trasfondo, no iba a obligar a nadie.

En cambio me limité a orar, pidiendo a Dios que se revelara a Richie. Y seguí orando. Un sábado cuando estábamos juntos, él me dijo que quería ir a la iglesia. "Bien", dije yo, prometiendo reservarle un asiento el domingo. Pero en mi interior pensaba: ¿Cómo? Estaba muy sorprendida.

Después de la iglesia, Richie me invitó a cenar en su casa. Yo me sentí inquieta porque no sabía lo que él estaba pensando. Quizá quería decirme que la iglesia era una gran pérdida de tiempo, que solamente era una trampa religiosa en la que yo había caído.

RICH
—

Aquel primer domingo en la iglesia no me cayó ningún rayo. No recuerdo nada sobre lo que sucedió en el servicio, pero cuando llegué a casa, abrí la Biblia y, ¡boom! Todo lo que leía parecía cobrar vida. No podía dejar de leer.

¡Vaya!, pensé. *Esto es vida. Esto me está hablando.* Supe en aquel momento que Dios era real y que estaba tocando mi corazón.

Todo un contraste con el pasado. La Biblia siempre me había parecido algo ajeno. Incluso cuando Timiney me la había leído, seguía sin entender. Era un libro muy grande, y yo siempre había aborrecido la lectura. Me resultaba difícil debido a mi TDA. Pero ahora no podía dejar de leer.

TIMINEY

—

Cuando llegué a casa de Richie, me sorprendió verlo allí con una Biblia abierta en sus manos.

"Este libro es asombroso —dijo—. Te dice cómo vivir".

Cada domingo después de aquello él estaba en la iglesia, y era maravilloso ver la transformación que se estaba produciendo en él.

Nunca tuve la tentación de forzarlo porque sabía que era tarea del Espíritu Santo ayudarlo a cambiar. No pensaba que fuera mi responsabilidad hacer otra cosa sino ser un ejemplo.

A medida que el viejo Richie se fue alejando, un nuevo Richie comenzó a emerger. Todo lo que me había gustado de él antes seguía estando ahí, pero en lugar de ese tipo duro estaba un hombre con un corazón mucho más grande, alguien que cada vez se interesaba más por los necesitados, en especial por las personas sin techo. Mientras tanto, él seguía devorando la Biblia y siembre estaba leyendo libros sobre la fe.

Un domingo en mitad del servicio, mientras Richie estaba adorando a Dios, lo miré y pensé en el hombre tan amable en que se estaba convirtiendo. *Oh, oh*, pensé, al darme cuenta de que volvía a tener sentimientos por él. No tenía ni idea de cómo se sentía él con respecto a mí. ¿Era yo algo más que una amiga?

—

No tenía ni idea de cómo se sentía él con respecto a mí. ¿Era yo algo más que una amiga?

—

Un día, los dos fuimos a Ocean Grove en la costa de Jersey. Al final de un día perfecto, Richie se giró hacia mí y dijo: "Quizá Dios tiene un propósito para nosotros dos juntos. Me refiero a que tenemos mucho equipaje, y tú conoces demasiado sobre mí. Pero quizá Él tiene un plan".

Cuando Richie y yo comenzamos a ser novios otra vez, buscamos consejería de un pastor de la iglesia. Teníamos demasiada historia a nuestras espaldas para intentar hacer esto solos. Diez me-

Juntos otra vez de un modo totalmente nuevo.

ses después de que Richie comenzara a asistir a la iglesia nos comprometimos, y cinco meses después nos casamos.

RICH

—

Cuando Timiney y yo comenzamos a tener citas amorosas de nuevo, yo seguía trabajando en mi empresa. Para entonces, la situación económica de la empresa había mejorado, pero yo ya no encajaba. Ya no era un tipo bueno de Wall Street que sale de fiesta, se emborracha y después presume de ello al día siguiente. Mis socios no estaban emocionados con el nuevo Richie, y comenzaron a surgir tensiones.

—

**Ya no era un tipo bueno de Wall Street
que sale de fiesta, se emborracha y después
presume de ello al día siguiente.**

—

Yo no sabía qué hacer, ya que había trabajado en la empresa por veintitrés años. De una cosa estaba seguro: otras firmas no me contratarían porque tendría que firmar una cláusula de no competencia si alguna vez dejaba mi empresa. Aunque yo era el principal agente, no podría llevarme conmigo a mis clientes, y tampoco tenía el título universitario necesario para comenzar en algún otro lugar.

Una mañana me desperté con la idea de que debería dejar de ser socio y trabajar en la empresa como consultor.

Inmediatamente tuve un sentimiento de paz. Cuando se lo comuniqué a mis socios, todos estuvieron de acuerdo. ¿Por qué no iban a estarlo? Yo estaba dejando mi 33 % de la empresa. Pero cuando no pudimos ponernos de acuerdo en los términos del contrato, pasé de la paz total con respecto a mi decisión a un temor abrumador. ¿Cómo iba a pagar mis facturas?

En lugar de beber piñas coladas en algún lugar exótico, pasamos nuestra luna de miel en Etiopía ayudando a otros.

Cuatro días antes de que Timiney y yo nos casáramos, clamé a Dios pidiendo su ayuda. Él pareció indicarme: *Tan solo alábame.* Por lo tanto, eso fue lo que hicimos Timiney y yo. Le dimos gracias y lo alabamos por todo lo que Él había hecho en nuestras vidas.

Más avanzado ese mismo día, mis socios ofrecieron una forma de comprar mi parte que yo pude aceptar. No era una cantidad inmensa, pero podía vivir con ella.

Timiney y yo pasamos nuestra luna de miel no en un lugar exótico bebiendo piñas coladas, sino en Etiopía ayudando en un viaje misionero. Fue lo que ambos quisimos hacer. Qué contraste con el modo en que solíamos vivir, intentando sacarle a la vida cada milímetro de felicidad. Ahora nuestro gozo provenía de un enfoque totalmente distinto.

Entregar mi vida a Dios no hizo que todo fuera perfecto, pero hizo que fuera posible la vida. Hizo posible la vida de verdad. No era como si Dios me hubiera sacado rápidamente de una cárcel emocional y me hubiera transportado a una isla paradisíaca donde todo era perfecto. Timiney y yo seguíamos teniendo nuestras luchas. Ella no podía trabajar debido a una lesión que requirió varias cirugías, y yo no podía encontrar otro empleo.

—

Entregar mi vida a Dios no hizo que todo fuera perfecto, pero hizo que fuera posible la vida.

—

Durante dos años, Dios siguió hablándome sobre confiar en Él y tener paciencia, pero eso era increíblemente difícil para un tipo que no conocía el significado de esa palabra. Durante ese periodo batallé con episodios de depresión, pero también tenía a Timiney alentándome y orando por mí. Y seguí estudiando la Escritura, orando y haciendo lo posible por mantenerme cerca de Dios.

A pesar de cuán difícil fue ese tiempo para mí, ahora puedo mirar atrás y ver que era parte del plan de Dios. Él fue quitando de mí muchas cosas y después comenzó a construirme de nuevo.

El enemigo también estaba activo, recordándome todas las cosas malas que yo había hecho, especialmente el modo en que había descuidado a mi hijo. Yo había vivido una vida loca y egoísta durante siete años, y sabía que nunca podría recuperar esos años.

Pero Dios me ayudó a resistir las mentiras de Satanás y a recibir su perdón. También me ayudó a reparar algunas vallas y a comenzar a vivir una vida totalmente nueva. Todo lo que yo había deseado en la vida lo encontré en Él.

Quizá no fue ningún accidente que Timiney aceptara a Cristo siete años después de haber salido de su iglesia y que yo llegara a conocerlo a Él siete años después de dejar a mi familia. Cada uno de nosotros estuvo en un viaje propio que podría haber terminado mal, pero gracias a Dios por unir nuestras vidas y redimir nuestras historias para que podamos decirles a otros cuán bueno es Él.

Las personas siempre intentan hacer que el mundo sea un lugar mejor, intentan hacer que *su* mundo sea un lugar mejor. Lo que no entienden es que Jesús es el único que puede hacerles felices, de modo que siguen haciendo las cosas que están programados para hacer, corriendo tras el dinero, las relaciones o el placer. Pero nada de eso da satisfacción.

Si yo ganaba doscientos mil dólares cuando trabajaba en Wall Street, no podía esperar a ganar cuatrocientos mil. Si ganaba cuatrocientos mil, no podía esperar a ganar seiscientos mil. Si ganaba seiscientos mil, no podía esperar a ganar un millón. Pero a pesar de cuánto dinero ganara, nunca era suficiente.

Yo era un tipo despreciable. Maldecía a la gente; rompía cosas; gritaba a agentes que trabajaban para mí. Pero ya no soy ese hombre. Gracias a Dios, no soy ese hombre.

Solía pensar que uno tiene que ser bueno para acudir a Dios, pero ahora entiendo que todos llegamos quebrantados. Llegamos con caos y pecado, y Él nos acepta tal como somos. Por eso murió Cristo, para ocuparse de nuestro quebrantamiento y pecado, para llevarnos de regreso al Padre.

Dios nos ama incluso cuando no estamos viviendo como deberíamos vivir, porque ¿cómo podemos hacerlo a menos que Él nos salve? Pidámosle a Él que nos salve.

LA HISTORIA DE ROBIN

―――――――

ROBIN ES LA NIETA DE EMIGRANTES JUDÍOS QUE ESCA-
PARON DE LA RUSIA COMUNISTA PARA ESTABLECERSE EN
ESTADOS UNIDOS. EMPLEADA POR UNA ORGANIZACIÓN
SIN FINES DE LUCRO, TIENE SU HOGAR EN ISRAEL. VIA-
JERA FRECUENTE, SIEMPRE SE LAS ARREGLA PARA RES-
PONDER CON BUEN HUMOR A LA VIDA. UN RECIENTE
MENSAJE A AMIGOS EN FACEBOOK SEÑALA A SU ESTILO DE
VIDA AVENTURERO HACIÉNDOSE ECO DE UN FAMOSO PA-
SAJE DEL SERVICIO DE PASCUA: "¿POR QUÉ ES ESTA NO-
CHE DISTINTA A TODAS LAS DEMÁS NOCHES? TODAS LAS
OTRAS NOCHES DUERMO EN HOTELES, CABAÑAS, HOSTA-
LES, CARPAS, HAMACAS, SACOS DE DORMIR, CUARTOS DE
INVITADO DE EXTRAÑOS, SALAS DE AEROPUERTOS, VUE-
LOS NOCTURNOS, Y SOFÁS DE AMIGOS; *PERO ESTA NOCHE
DORMIRÉ EN MI PROPIA CAMA*". AMANTE DE LA DIVER-
SIÓN Y AMIGABLE, ELLA RELATA UN PERIODO EN SU VIDA
CUANDO LA OSCURIDAD AMENAZABA CON SOBREPASARLA.

AUNQUE MIS PADRES SE DIVORCIARON cuando yo era joven, y mi padre desapareció de mi vida, nunca se me ocurrió que me estaba perdiendo algo. Mi abuelo, un hombre de energía inagotable, fue exactamente la figura paterna que yo necesitaba en ese tiempo.

Recuerdo escuchar que él y mi abuela habían escapado de la persecución en la URSS muchos años antes. Cuando el gobierno comenzó a cerrar sinagogas, él supo que era momento de irse. "Puedes tolerar la persecución —decía él— pero no poder adorar a Dios, eso no lo puedes tolerar".

Después de irse de Moscú, mis abuelos atravesaron varios países en el bloque soviético, fraguando cada vez nuevos contactos que les ayudaron en la siguiente etapa de su viaje. Se dirigían hacia el único lugar en el mundo donde soñaban vivir: la tierra santa, conocida también con el nombre de Brooklyn. En aquella época, la ciudad de Nueva York tenía más judíos viviendo allí que los que había en todo el país de Israel.

Años después cuando visitaron Rusia, y no me pregunten cómo se las arreglaron para atravesar la "cortina de hierro", volvieron a conectar con algunos de nuestros familiares que seguían viviendo en Moscú. Y cuando yo viajé también a Rusia, muchos años después, miembros de la familia allí estaban llenos de historias sobre su visita. Hablaban de mis abuelos como las personas más estupendas y más locas que conocieron. Durante su visita, mi abuelo había insistido en ir a orar a la sinagoga.

—

"¿Temen a Dios, o temen a la KGB?"

—

—Estás loco —le dijeron—, la sinagoga está cerrada. Además, la KGB está observando.

—¿Temen a Dios, o temen a la KGB? —preguntó mi abuelo.

—¡A los dos! —exclamaron ellos.

Al final, mi abuelo hizo que todos fueran y oraran: *detrás* de la sinagoga.

En casa en Brooklyn, él y mi abuela siempre estaban ayudando a otros inmigrantes judíos, los invitaban a las cenas del Shabat y permitían a personas quedarse sin pagar renta en uno de los pisos de su casa de tres pisos hasta que pudieran establecerse.

Como vivíamos con mis abuelos cuando mi padre y mi madre se divorciaron, ellos eran como padres para mí. Ambos eran muy sociables, amorosos y amables; y ambos tenían una fe muy fuerte en Dios.

Recuerdo que mi abuela se despertaba temprano y comenzaba a limpiar la casa y a cocinar. Además de hornear galletas, ella preparaba muchos platos tradicionales rusos y judíos, como *borscht*, hígado picado y albóndigas de pescado: el tipo de alimentos que no te gusta a menos que seas lo bastante afortunada para tener una abuela que los cocinaba para ti cuando eras pequeña.

Ella estaba llena de vida, siempre riendo, jugando a las cartas con amigas, y bailando siempre que sonaba música.

Como ella, mi abuelo amaba la vida. Con las tradicionales tiras de cuero envueltas en su brazo, se sentaba al lado de la ventana cada día y oraba. "Quizá hoy vendrá el Mesías", decía. Tras reunirse con otros hombres para la oración, regresaba de la sinagoga con historias de la Torá (los primeros cinco libros de la Biblia hebrea) como si las hubiera escuchado de labios de Moisés

Creciendo en un hogar judío tradicional.

mismo. Era fácil imaginarme a mí misma cruzando el mar Rojo mientras agarraba la mano de mi abuelo.

Como muchas otras familias en nuestro barrio, comíamos kosher, celebrábamos las fiestas y observábamos los mandamientos.

Cuando mi madre volvió a casarse, nos mudamos de la casa de mis abuelos a la nuestra. Cuando llegué a la secundaria, me había convertido en una adolescente que vivía con un pie en dos mundos distintos. Los viernes en la noche celebraba el Shabat, y en la escuela estaba obsesionada con el teatro, la danza y salir a bailar.

Por fuera me veía como una jovencita judía decente con matrícula en inglés que vivía con sus padres en una bonita casa en Long Island. Pero como muchas de mis amigas, también experimentaba con las drogas y el alcohol.

Después de la secundaria entré en la universidad en Boston, donde seguí experimentando con drogas y alcohol. En Nueva York, los clubes cerraban a las 4:00 o las 5:00 de la mañana, pero en Boston la hora de cierre era la 1:00 o las 2:00 de la mañana. No era problema. Yo invitaba a todos a mi habitación en la residencia estudiantil para seguir de fiesta.

Por un lado, yo seguía observando muchas de las tradiciones judías, recordándole al personal de la cafetería que se acercaba la Pascua y que los estudiantes judíos necesitarían un espacio separado para sus alimentos kosher. Por otro lado, mi habitación era el centro de las fiestas.

Recuerdo que un día regresé a la residencia totalmente borracha. Por desgracia, la conserje, la persona responsable de mi pasillo en la residencia, estaba sentada en el vestíbulo. "Escucha —le dije al muchacho que estaba conmigo—, tú tranquilo, cállate, ella ni se dará cuenta". Entonces me choqué contra una puerta de vidrio mientras la conserje miraba.

Los amigos se reían conmigo y me decían: "No te comerás una langosta, ¡pero consumirás cocaína!".

A pesar de todas las fiestas, establecí reglas para evitar que las cosas se descontrolaran. Me prometí a mí misma que nunca bebería o consumiría drogas a solas. También prometí que lo haría solamente cuando estuviera contenta y nunca cuando me sintiera triste o deprimida.

Un día llamaron mis padres. Mi mamá me dijo que mi abuela había sufrido un ataque al corazón y que yo tenía que regresar a casa lo antes posible.

Al día siguiente cuando mi mamá y mi padrastro me llevaban en el auto del aeropuerto a casa, yo hablaba sin parar, diciéndoles lo mucho que me gustaba la universidad, cuántos amigos había hecho, y lo feliz que estaba.

Cuando entramos en la casa, de repente pensé que ninguno de ellos había hablado mientras íbamos en el auto. ¿Qué está pasando?, me preguntaba. Entonces mi madre se dirigió a mi padrastro y dijo: "Díselo tú".

Tras un breve silencio, él comenzó. No había ningún modo fácil de contarme la brutal verdad. Mi abuela no había sufrido un ligero ataque al corazón, como me habían hecho creer.

—

**No había ningún modo fácil de
contarme la brutal verdad.**

—

"Tu abuela —me dijo él— fue víctima de un homicidio".

Tuve la sensación de que el sol se había caído del cielo, desplomándose a la tierra y haciendo explotar mi mundo. ¿Cómo era posible que mi dulce y amorosa abuela hubiera sido asesinada? Ella estaba llena de vida, y era muy buena. Nunca más volvería a sentir sus labios acariciando mi mejilla con un beso, nunca más volvería a ver sus ojos brillar mientras bailaba, nunca podría decirle lo mucho que la amaba. Todo eso me había sido arrebatado en un instante. No podía soportar pensar en el modo violento en el que le habían quitado la vida. Ella era mi segunda madre, y ahora ya no estaba.

Loca por el sufrimiento, comencé a dar vueltas de un lado a otro, quejándome y gritando. Tenía tanto dolor que ni siquiera sabía que estaba gritando.

Según la policía, mi abuela había sido víctima del "empujón". Mientras ella abría la puerta para entrar, alguien la empujó por detrás, le golpeó en la cabeza con un tubo de metal, le rompió el cráneo y la mató. Entonces le robó. ¿Cuánto dinero se llevó? ¡Siete dólares! Estoy segura de que mi abuela le habría dado dinero si él se lo hubiera pedido.

Mi abuelo no estaba en casa en ese momento. Cuando se enteró de su muerte, quedó destrozado.

Una muerte natural ya es bastante malo, pero cuando hay un asesinato en tu familia, las personas no saben cómo reaccionar. A veces, familiares y amigos mantienen la distancia porque la situación se siente extraña e incómoda y no saben qué decir. Pero hubo un grupo de personas que estuvo a nuestro lado.

Mientras yo estaba lejos en la universidad, parecía que todos los demás en mi familia habían establecido buena amistad con alguien que creía en Jesús. Como nuestros otros amigos, ninguna de esas personas supo qué decir cuando mi abuela fue asesinada, pero se mantuvieron cerca y estuvieron a nuestro lado de todos modos.

Antes de regresar a las clases una semana después, cada uno de ellos se sintió impulsado a compartir conmigo el evangelio. Había un solo problema con eso: las buenas noticias que ellos tenían tantas ganas de compartir siempre me habían parecido malas noticias.

—

Las buenas noticias que ellos tenían tantas ganas de compartir siempre me habían parecido malas noticias.

—

Aunque Nueva York tenía una población judía grande, aún había mucho antisemitismo cuando yo era pequeña. A veces, los niños nos llamaban a mis amigos y a mí asesinos de Cristo, nos golpeaban o se negaban a jugar con nosotros. También era consciente de que mis abuelos habían sido perseguidos en Rusia porque eran judíos. Como estábamos rodeados de amigos y familiares judíos, yo escuché historias sobre personas que habían perdido a seres queridos durante la Segunda Guerra Mundial. Si ellos no habían sufrido bajo Hitler, habían sufrido bajo Stalin.

Recuerdo visitar a la madre de mi padre biológico, mi abuela polaca, en el hospital al final de su vida. Cuando pregunté por qué estaba llorando, ella me dijo: "Todos los médicos y las enfermeras que pasan por la puerta quieren conocer mi historia familiar. Deberían mirar a una mujer judía de mi edad y darse cuenta de que no tiene una historia familiar porque le arrebataron a su familia".

Otro familiar había salido del país cuando estalló la guerra en Polonia. Cuando regresó, no le quedaba nadie. Su madre y su padre, sus hermanos y hermanas, sus maestros de la escuela, su médico e incluso su cartero: todos ellos habían perecido por el delito de ser judíos.

Como muchas personas que se denominan cristianas desprecian a los judíos, yo no quería saber nada del Nuevo Testamento. Pensaba que era la fuente del antisemitismo.

De repente, inmediatamente después del asesinato de mi abuela tenía a tres o cuatro personas cada día diciéndome que Jesús era buenas noticias y que Él era el Mesías.

Como yo nunca les permitía hablar sobre el Nuevo Testamento, comenzaron a señalar muchas de las profecías mesiánicas que están en las Escrituras hebreas, pero yo no tenía ningún interés en sondear la Biblia para descubrir la verdad. Me resistía, no solo debido al prejuicio contra mi gente sino también porque no quería que nadie me dijera que lo que yo estaba haciendo en mi vida era pecado.

Era totalmente hostil hacia cada propuesta que ellos planteaban. A pesar de mi resistencia, cuando regresé a la escuela no podía dejar de pensar en todos los pasajes de la Escritura que ellos señalaron. ¿De qué hablaban? Debido a la muerte de mi abuela, la ansiedad con frecuencia me mantenía despierta hasta las 4:00 o las 5:00 de la mañana, de todos modos, así que tenía mucho tiempo para pensar.

Seis meses después de que mi abuela fuera asesinada, falleció mi abuelo. Creo que murió porque se le partió el corazón. En cuanto a mí, yo ya no era la jovencita extrovertida y amante de la fiesta. En lugar de salir todo el tiempo, me quedaba en casa. Un año antes de la muerte de mi abuela, el mejor amigo de mi hermano y su madre habían muerto en un crimen violento que había llegado a los titulares en Long Island. Esos acontecimientos trágicos crearon una nube abrumadora de temor y tristeza.

—

Con mi sentimiento de seguridad arrebatado, comencé a romper las reglas que había establecido para mí misma.

—

Con mi sentimiento de seguridad arrebatado, comencé a romper las reglas que había establecido para mí misma, bebiendo y consumiendo drogas cuando estaba sola y cuando me sentía triste o enojada. Aunque no era adicta, abusaba de las drogas y el alcohol. También comencé a caer enferma, muy enferma. Uno sabe que está enfermo cuando quien te suministra las drogas se niega a venderte más porque está preocupado por ti, como hacía el mío. En ese punto decidí que ya no tomaría más drogas ni alcohol.

Mi enfermedad comenzó con pérdida de peso y fatiga. A medida que pasaron los meses, mi piel comenzó a sangrar, lo blanco de mis ojos comenzó a volverse amarillento y se me caían mechones de cabello. A pesar de cuántas horas durmiera, no tenía energía. Cuando dejé la universidad y me mudé a casa, mi cuerpo estaba reducido a huesos cubiertos de piel.

Mis padres me llevaron a los mejores médicos que pudieron encontrar, pero ninguno pudo ayudarme. Tenía hepatitis, y mi sangre era tóxica. Mis riñones fallaban, el latido de mi corazón era irregular, y a veces me desmayaba porque tenía la presión sanguínea muy baja. Los técnicos de laboratorio querían conocerme porque no podían creer que una persona cuya sangre era tan tóxica pudiera seguir manteniéndose en pie.

Desesperada por ayudarme, mi madre me envió a un centro de medicina alternativa, esperando que su tipo de espiritualidad y el comer sano pudieran curarme.

Una mujer captó mi atención. No podía dejar de observar cuán distinta era ella a todos los demás. Había llegado al centro para aprender a cocinar alimentos saludables y quedó sorprendida cuando se enteró de que estaba guiado por una filosofía de la Nueva Era. Mientras estaba allí, pasaba mucho tiempo leyendo un libro en particular. Cuando le pregunté al respecto, ella me dijo que era su Biblia. No me había hablado sobre su fe porque sabía que yo era judía, y no quería ofenderme. Después de aquello, yo le obligué literalmente a compartir el evangelio conmigo. Todo lo que ella dijo sobre Jesús, sobre el amor, el perdón y la paz me atraía. Una apertura diminuta comenzaba a formarse en mi corazón.

—

**Todo lo que ella dijo sobre Jesús, sobre
el amor, el perdón y la paz me atraía.**

—

Pero yo estaba demasiado enferma para quedarme allí, así que regresé otra vez a mi casa. Mi mamá recientemente había recuperado el contacto con una amiga de la secundaria, una mujer judía que creía que Jesús era el Mesías. Ella nos visitaba casi todos los días, y cada día me decía lo mismo. "Quiero llevarte a la iglesia. Oraremos por ti y Dios te sanará".

Yo respondía asegurándole que nunca en la vida pondría mis pies en una iglesia. ¿Por qué querría hacer eso? Algunas de las iglesias del barrio tenían fuera a Jesús colgado en una cruz. No podía imaginarme por qué alguien iba a creer que una persona muerta podía ser Dios. Desde luego, yo no sabía nada sobre la resurrección.

Pero la amiga de mi madre no se daba por vencida. Le dije que no me importaba hablar con ella sobre Jesús mientras nunca mencionara el Nuevo Testamento. Por lo tanto, ella se centró en profecías mesiánicas de las Escrituras hebreas y destacaba que las fiestas judías, especialmente la Pascua, señalaban a Jesús.

Yo discutía con ella cada día, pero ella no se enfrentaba a mi enojo con más enojo; en cambio, me decía: "Supongo que ya hemos tenido suficiente por hoy". Entonces se iba a su casa y oraba para que Dios cambiara mi corazón lo bastante para que ella pudiera regresar al día siguiente.

Un día leyó un pasaje de su Biblia:

Fue despreciado y desechado de los hombres,

varón de dolores y experimentado en aflicción;

y como uno de quien los hombres esconden el rostro,

fue despreciado, y no le estimamos.

Ciertamente El llevó nuestras enfermedades,
y cargó con nuestros dolores;
con todo, nosotros le tuvimos por azotado,
por herido de Dios y afligido.
Mas El fue herido por nuestras transgresiones,
molido por nuestras iniquidades.
El castigo, por nuestra paz, cayó sobre El,
y por sus heridas hemos sido sanados.
Todos nosotros nos descarriamos como ovejas,
nos apartamos cada cual por su camino;
pero el Señor hizo que cayera sobre El
la iniquidad de todos nosotros.

(Isaías 53:3-6)

———

El pasaje que estaba leyendo hablaba tan obviamente sobre Jesús que me enojé. "Me gustaría que te fueras y no volvieras nunca —le dije—. Porque ahora sé lo que has estado haciendo. Has estado introduciendo pasajes del Nuevo Testamento. No he podido dormir porque he pasado mucho tiempo pensando en todas las cosas de las que hemos hablado, pero ahora sé que me has engañado".

"Está bien —dijo ella—, pero una sola cosa antes de irme". Dirigiéndose hacia el armario donde guardábamos algunas de las pertenencias de mis abuelos, sacó la Biblia familiar. Abriéndola en Isaías 53:5-6 me la entregó y dijo: "Léelo en tu propio libro".

Yo no podía creerlo. Mi Biblia hablaba sobre Jesús. Mientras leía en las Escrituras hebreas comenzó a surgir una imagen clara de Jesús. Todo lo que habíamos hablado tuvo sentido, y entendí que Jesús es el Mesías que el pueblo judío ha estado esperando siempre.

Al día siguiente fui a la iglesia con ella. Después del sermón, pasé para recibir oración. La fe que ella tenía en lo que Dios quería hacer era tan fuerte, que esperaba que yo fuera totalmente sanada allí mismo. Tenía la seguridad de que engordaría varios kilos y que el tono de mi piel mejoraría inmediatamente. Pero cuando me miró después de la oración, vio a alguien que seguía siendo un caos.

Cuando ella comenzaba a alejarse, le dije algo. "No sé lo que me está sucediendo, pero siento como si tuviera cadenas sobre mí que acaban de caer. Es como si hubiera estado durmiendo toda mi vida y acabo de despertarme, como si sangre nueva estuviera fluyendo en mi interior. ¡Me siento viva!".

Ella regresó corriendo y exclamó: "Has conocido a Yeshúa, ¡conociste a Jesús!". Señalando primero a mi cabeza y después a mi corazón, dijo: "Ayer estaba aquí, pero ahora está aquí".

—

"No sé lo que me está sucediendo, pero siento como si tuviera cadenas sobre mí que acaban de caer. Es como si hubiera estado durmiendo toda mi vida y acabo de despertarme, como si sangre nueva estuviera fluyendo en mi interior. ¡Me siento viva!".

—

Y tenía razón. En cuanto llegué a casa comencé a leer el Nuevo Testamento. No podía dejar de leer. Lo que me dejó perpleja fue cuán amoroso era Jesús. Lloré al leer los Evangelios.

Estaba sorprendida por cuán judío es el Nuevo Testamento. Yo ya sabía que Jesús era judío, pero nadie me había dicho que Mateo, Marcos, Juan, Pedro, Pablo y casi todos los demás, eran también judíos. Aquellas personas eran como mi propia familia. Hablaban sobre las mismas cosas que nosotros. Ellos iban al templo; celebraban las fiestas. Lo más asombroso de todo fue la escena en el libro de Hechos en la que los líderes de la iglesia primitiva hablaron sobre si los creyentes gentiles necesitaban ser circuncidados. En otras palabras, ¿necesitaban hacerse judíos? La respuesta era no, ¡pero a mí me sorprendió que hicieran la pregunta!

Aunque seguía estando muy enferma, decidí asistir a una iglesia del barrio. El primer día me senté en la parte trasera, esperando que nadie hablara conmigo. Cuando se acercó un hombre y me saludó, yo dije: "Soy judía, y prefiero quedarme aquí sentada y escuchar".

"Yo también soy judío", dijo él. Antes de que me diera cuenta, estaba rodeada de personas judías que creían en Jesús. Parece que había entrado en la iglesia perfecta para mí.

Aún estaba demasiado enferma para trabajar o ir a la escuela, pero podía leer mi Biblia y orar, y muchas personas en la iglesia oraron conmigo. Había muchas cosas en mi vida, tanto físicas como emocionales, que necesitaban la sanidad de Jesús.

Cuando comencé a orar por primera vez, salieron a la superficie muchas emociones feas. Había mucha amargura, vergüenza, temor y enojo. Mientras seguía orando, el Señor me guió a orar por la persona que había matado a mi abuela. Estuve horas orando. Cuando la amargura y el odio se amontonaban, me sentía impulsada a preguntar qué habría sucedido en la vida de esa persona que pudiera haberle impulsado a matar a una abuela. Comencé a llorar por él y a orar para que conociera la sanidad y el amor de Dios. Lo más liberador es cuando puedes perdonar a alguien del modo en que Dios te ha perdonado a ti. Solamente Jesús pudo ayudarme a hacer eso.

Entonces comencé a presentar ante Dios toda la culpabilidad y la vergüenza que sentía por todo lo que había hecho mal en mi vida. A medida que oraba, leía y memorizaba la Escritura, el temor comenzó a alejarse, y Dios me liberó del odio que sentía por otros.

—

A medida que oraba, leía y memorizaba la Escritura, el temor comenzó a alejarse, y Dios me liberó del odio que sentía por otros.

—

Jesús comenzó a levantar en primer lugar las piedras más pesadas, las que estaban en mi corazón y me habían arrastrado. Entonces, una por una, comenzó a quitar las piedras más pequeñas. Sin sentir ya más vergüenza, culpabilidad o falta de perdón, me sentí libre por primera vez en mi vida.

Aunque mi corazón era cada vez más ligero, mi cuerpo seguía aplastado por la enfermedad. No empeoraba, pero tampoco mejoraba. Una mañana mientras hablaba un predicador invitado, sentí que Dios me indicaba un mensaje. *Levántate y pide oración, y yo te sanaré.*

Pensé: *No, no. Hay demasiadas personas para que llegue hasta allí. Iré esta noche.* En el servicio de la noche habría menos personas, y yo conocía a muchas de ellas. No parecería tan extraño porque ellas entenderían por qué pedía yo oración.

Pero su voz era insistente. *Levántate y pide oración. Voy a sanarte.*

Así que hice lo que no quería hacer. Me levanté delante de todo el mundo y pedí oración.

Me sentí libre por primera vez en mi vida.

Al día siguiente fui al laboratorio para mi análisis de sangre semanal. Dos días después, mi médico me dijo: "Han confundido tu sangre en el laboratorio. Tendremos que hacerlo otra vez".

Cuando regresé a la consulta del médico tras el segundo análisis de sangre, la enfermera me miró de modo extraño.

—¿Qué sucedió? —me preguntó.

—¿A qué se refiere con qué sucedió? —yo no sabía de qué estaba hablando.

—¿No se lo dijo el médico? —sin esperar una respuesta, me hizo entrar en la consulta.

—Robin, ¿qué sucedió? —me preguntó—. Los resultados de su análisis son normales. Su sangre ya no es tóxica.

Me explicó que aunque la hepatitis deja un marcador permanente en la sangre, no había ningún marcador en la mía. Por eso pensó que el laboratorio había confundido las muestras.

Cuando le dije que Jesús me había sanado, se quedó callado por un momento. Entonces dijo: —Tres veces he visto algo que la ciencia no puede explicar. No sé qué creer, pero las tres veces las personas que experimentaron esas cosas me han dicho lo mismo que usted.

Muchos años después, como preparación para un viaje fuera del continente, otro médico quiso que me hiciera una serie de análisis debido a mi historial con la hepatitis.

—No tengo un historial —le dije—. Dios me sanó.

—

"No tengo un historial —le dije—. Dios me sanó".

—

—Hágalo solamente por mí —insistió.

Así que lo hice, y los resultados de los tres análisis (escáner de riñón, sonograma y análisis de sangre) dieron resultados negativos. —¡Tiene usted el riñón de una persona de veinte años! —exclamó.

—¿De un universitario? —bromeé yo.

—No, incluso sin historial de hepatitis, las personas de su edad por lo general tienen cicatrices y marcas en el riñón, pero el suyo está perfectamente limpio. No hay ninguna marca.

Después de pedir oración aquel día en la iglesia, comencé a aumentar de peso, mi piel comenzó a mejorar y mi cabello fino comenzó a ser más grueso. Me sentía estupendamente. Por primera vez en casi tres años tenía la energía para pensar en lo que haría con el resto de mi vida. Lo primero que quería hacer era ir a Israel.

Debido a que mi familia tenía ya amigos judíos que creían en Jesús, no les resultó particularmente difícil ajustarse a mis creencias. Para mi sorpresa y deleite, supe que incluso mis abuelos posiblemente llegaron a convertirse en creyentes antes de morir.

Pero en Israel las cosas eran diferentes. Uno de mis primos me envió a un desprogramador para que deshicieran mi lavado de cerebro por creer en Jesús. En lugar de destruir mi fe, eso la hizo más fuerte.

A veces, las personas cometen el error de pensar que si crees en Jesús, has dejado atrás tu herencia judía, pero lo cierto es que yo nunca dejé de ser judía. Sencillamente soy una judía que cree que Jesús es el Mesías.

—

Yo nunca dejé de ser judía. Sencillamente soy una judía que cree que Jesús es el Mesías.

—

Yo solía pensar que una vida conectada con Dios sería aburrida, porque me pondría límites y me estrecharía, pero he descubierto que es la mayor aventura de todas. Existe una razón por la cual Jesús está decidido a hacernos libres. Cuando no hay ningún temor, ni vergüenza o amargura que nos retenga y nos aplaste, entonces cualquier cosa es posible.

Creo que el mismo Dios que liberó a Su pueblo al dividir el mar Rojo abrirá un camino para nosotros, sin importar lo que estemos enfrentando. Él es quien dice:

Porque el Señor tu Dios está en medio de ti

como guerrero victorioso.

Se deleitará en ti con gozo,

te renovará con su amor,

se alegrará por ti con cantos.

(Sofonías 3:17)

LA HISTORIA DE KAITLIN

KAITLIN PINKLETON HA PASADO LA MAYOR PARTE DE SU VIDA VIVIENDO EN ESTADOS SUREÑOS, PRIMERO EN CAROLINA DEL SUR Y DESPUÉS EN FLORIDA. EXASESORA SOBRE DROGAS Y ALCOHOL, AHORA TRABAJA CON JÓVENES EN LA CIUDAD DE NUEVA YORK. SE CRIÓ ESCUCHANDO HISTORIAS DE UNA TORMENTA QUE CAUSÓ ESTRAGOS EN CHARLESTON, CAROLINA DEL SUR, DONDE VIVÍAN SU MADRE Y ELLA. AÑOS DESPUÉS, ENFRENTÁNDOSE A SUS PROPIAS TORMENTAS PERSONALES, PASÓ TRES DÍAS EN UN AUTOBÚS INTENTANDO ESCAPAR DE LOS ESTRAGOS QUE AMENAZABAN SU VIDA.

EL HURACÁN HUGO GOLPEÓ en Carolina del Sur cuando yo era una niña pequeña. No recuerdo nada de la lluvia cayendo horizontalmente desde el cielo, ni tampoco de los pedazos de escombros que pasaban volando al lado de nuestras ventanas. Tampoco recuerdo que el agua rompiera el rompeolas en el centro de Charleston o la luz azulada que se veía muy bajo en el cielo y que no eran relámpagos, sino líneas eléctricas que se rompían cuando caían encima de ellas los árboles. Cuando camino por las calles de Charleston en la actualidad, no puedo recordar el olor cenagoso que llenaba el aire debido a todos los restos de árboles que cubrían la tierra como si fueran nieve.

Como muchos otros residentes, mi mamá y yo habíamos huido del huracán con antelación, refugiándonos del camino del daño. Lo que sí recuerdo son todas las historias que contaba la gente. Que la tormenta monstruosa aterrorizó a todo el que se quedó en la ciudad, derribando edificios y lanzando de un lado a otro los barcos como si fueran juguetes. Cuando todo terminó, Charleston, parecía una zona de guerra. Hugo había causado tanto daño, que a la ciudad le tomaría dolorosos años el poder recuperarse.

Esa tormenta es una metáfora de mi vida.

Cuando echo la vista atrás a aquella época, me veo a mí misma como una niña pequeña tímida con cabello rizado a quien le encantaba ponerse vestidos y jugar a las muñecas tanto como le gustaba revolver en la tierra buscando bichos bola, que son pequeños bichos que se enrollan apretadamente siempre que se sienten amenazados. Recuerdo jugar con mi perro en el patio, vestirme como Raggedy Ann para Halloween, y mover mi pequeño puño ante una pelota de *tetherball* mientras giraba rápidamente alrededor de un poste. Como cualquier niña, yo era curiosa, juguetona y estaba deseosa de explorar el mundo que me rodeaba. No era consciente de la tormenta que se aproximaba.

Una niña tímida.

Yo no sabía que mi madre se estaba enfrentando a vientos huracanados en su propia vida porque mi padre había estado viendo a otra mujer y quería poner fin al matrimonio. Se divorciaron cuando yo tenía solamente dos años. Después de aquello nos quedamos solamente mi mamá y yo intentando vivir una vida juntas porque mi papá nos había borrado de la suya.

Aunque él nunca se puso en contacto, yo intenté establecer una pequeña conexión una vez enviándole una tarjeta para el día del padre, pero llegó devuelta y sin abrir. Yo tenía siete años.

Aunque mi mamá seguía intentando mejorarse, tomando clases y trabajando en varios empleos, fue para ella un tiempo difícil. Había perdido a sus propios padres cuando tenía diez años, y ellos habían sido alcohólicos. Después de aquello, su hermana intentó criarla, pero es difícil para una hermana hacerse cargo de esa responsabilidad. Creo que la crianza de mi mamá dejó huecos en su vida que nunca fueron llenados.

Ella intentó llenar los huecos con hombres, una larga sucesión de novios que vivían con nosotras o nos invitaban a vivir con ellos. Ninguna de aquellas relaciones duró más de un par de años, porque el tipo de hombres a los que ella atraía eran tan inestables como ella misma. Nunca se quedaban mucho tiempo.

Yo tenía cuatro años cuando llegó "Tom". Al principio parecía un buen hombre, como alguien que podría llegar a ser un buen papá. Vivíamos en el apartamento de Tom en un primer piso, y esperábamos mudarnos a otro en un piso superior. Mi mamá estaba ocupada arreglando el apartamento en el segundo piso para que pudiéramos vivir allí. Una noche, Tom se ofreció a llevarme a la cama para que ella pudiera seguir trabajando en el apartamento. Recuerdo mi cama, que era un sofá cama en la sala, y a Tom levantándome y después poniéndome en su regazo. Pero no fue de una manera tierna, como cuando un padre agarra a su hija antes de acostarla para que se duerma. En lugar de darme un abrazo y leerme un cuento antes de dormir, él me violó.

Aunque yo no entendía lo que había sucedido, sabía que estaba mal, y me culpé a mí misma por el terrible dolor que sentía. Cuando mi madre llegó aquella noche, le dije que me dolía la vagina, pero no pude explicar lo que había sucedido, y ella no fue capaz de sumar dos más dos.

El abuso continuó durante los años siguientes. Cada noche, mi mamá me llevaba a la cama, me leía un cuento y me decía que me amaba. En cuanto ella cerraba la puerta, me escondía bajo las sábanas, subía también las mantas y apilaba juguetes y peluches a mi alrededor. Quizá Tom no notaría que yo estaba allí cuando entrara; quizá pensaría que solamente había mantas y juguetes y se iría del cuarto. Pero nunca sucedía de ese modo. Cuando finalmente nos mudamos, mamá me dejaba al cuidado de él mientras ella se iba a trabajar. Siempre que me dejaba a solas con él, yo gritaba y lloraba, pero ella pensaba que simplemente estaba triste porque la extrañaba; por lo tanto, la pesadilla continuó.

Tom tenía unos perritos pequeños en su casa, y amenazaba con hacerles daño si yo le contaba a alguien lo que él me estaba haciendo. También me daba dulces para que tuviera la boca cerrada, o amenazaba con matar a mi mamá. El miedo a lo que él pudiera hacer me mantuvo callada por mucho tiempo.

Cuando tenía siete años, el dolor se había vuelto tan insoportable que un día le conté toda la verdad a mi mamá. En cuanto ella escuchó lo que estaba sucediendo, llamó a la policía, pero tomó un tiempo el poder conseguir una condena.

Aunque el secreto de Tom se había descubierto, yo seguía estando aterrada. Mientras él esperaba juicio, rondaba por el patio de la escuela, por fuera de la valla. Yo quería ir a la escuela, para aprender y hacer lo que haría cualquier niña normal. Pensaba que el receso sería divertido, pero Tom siempre estaba fuera, paseándose y mirándome fijamente mientras yo jugaba a la pelota. Yo hacía todo lo posible por comportarme con normalidad, aunque sabía que no era así. A menos que yo fuera diferente de todas las otras niñas, ¿qué otra razón tendría para acecharme? Tenía mucho miedo, estaba aterrada de lo que él fuera a hacerme.

Me daba miedo especialmente que él me siguiera hasta mi casa después de la escuela. Un día me castigaron por caminar hasta la casa de una amiga sin decírselo a mi mamá. Finalmente le dije que tenía miedo de regresar a casa yo sola.

Por fin llegó el juicio, y Tom fue sentenciado a dos años de prisión. Pero incluso después de que Tom estuviera encerrado, yo no sentía paz. Estaba devastada por todo lo que había sucedido: los años de abuso, los médicos que me examinaban, las interminables sesiones de consejería que recomendó el tribunal.

Estoy segura de que mi madre casi quedó destrozada cuando entendió lo que había tenido lugar delante de sus narices; pero yo estaba contenta porque ella me defendió cuando finalmente salió a la luz la verdad.

Cuando miro atrás a esa niña de siete años que había perdido a su papá y cayó en manos de un depredador sexual, a veces me resulta difícil evitar las lágrimas. No es extraño que esa niña se sintiera tan vacía, tan aislada, quebrantada por las tormentas de la vida que seguían llegando, una tras otra.

—

No es extraño que esa niña se sintiera tan vacía, tan aislada, quebrantada por las tormentas de la vida que seguían llegando, una tras otra.

—

Como mi mamá trabajaba en el turno de noche, yo estaba con alguien que me cuidara o sola en casa. No era una vida buena para ninguna de las dos, y me llenaba de temor y de una sensación de inestabilidad. Mi mamá se deprimió tanto que lloraba sentada en el sillón desde que regresaba a casa hasta la hora en que se preparaba para ir al trabajo.

Como yo me sentía distinta a las otras niñas, tenía problemas para hacer amigas. Como tampoco había mucha estructura en casa, salía en busca de aventura, montada en mi bicicleta durante horas y horas. Perseguía gatos por la ciudad y vagaba sola por el bosque. Me metía en los patios de otros niños y comenzaba a saltar sobre sus trampolines mientras sus padres estaban dentro observándome. Estoy segura de que se preguntaban qué estaba haciendo yo en su patio y por qué estaba sola.

A veces mi mamá y yo íbamos a la iglesia, y me encantaba eso. Era muy diferente al resto de mi vida, porque había mucho amor en ese lugar. Creo que ella estaba intentando recuperarse y conseguir una vida mejor para las dos. Pasábamos mucho tiempo en la casa del pastor, solamente en compañía de ellos.

En cierto momento cuando yo tenía unos diez años, ella comenzó a verse con un hombre que trabajaba en una feria. Ella acababa de perder su empleo, de modo que nos invitó a

LA HISTORIA DE KAITLIN

que viajáramos con él. Empacamos algunas cosas y nos mudamos a Carolina del Norte. A mí me parecía que era divertido, porque ¿a qué niña no le gusta visitar ferias y centros comerciales, y comer palomitas gratis? Pero después de un tiempo, mudarnos de una ciudad a otra se volvió algo solitario y aburrido. Yo tenía que comenzar en una nueva escuela y después irme, para luego volver a comenzar otra vez.

Tras unos meses de todo aquello, mi mamá y su novio tuvieron una pelea terrible en la habitación de un hotel. Él la atacó y huimos, pero no teníamos ni dinero ni un lugar donde vivir, de modo que allí estábamos en Carolina del Norte en mitad del invierno, viviendo en nuestro automóvil.

Como no sabía qué otra cosa hacer, mi mamá finalmente llamó a su hermana en Florida, quien la había criado, y le preguntó si podíamos quedarnos con ella durante un tiempo. Fue entonces cuando nos mudamos a West Palm Beach. Mamá y yo dormíamos juntas en la litera de arriba del cuarto de mi prima de tres años; pero también había mucho estrés en la casa de mi tía.

Recuerdo pensar que mi tía y mis primos trataban a mi mamá como la madrastra y las hermanastras de Cenicienta la había tratado a ella. Desde luego, ninguna hada madrina ni un príncipe bien parecido aparecieron nunca para rescatarla.

Cada vez que había una pelea, nos íbamos. Esto significaba cambiar de escuela. Entonces regresábamos otra vez, porque mi mamá se quedaba sin dinero. Cuando yo tenía diecinueve años, nos habíamos mudado treinta y cuatro veces.

—

**Cuando tenía dieciséis años estaba
fuera de control y desenfrenada.**

—

Finalmente, ella conoció a un hombre que realmente le gustaba. Quizá ese se quedaría, pero en cambio cayó enfermo y murió. Después de eso, ella cayó en picado hacia una profunda depresión. Las dos nos mudamos de la casa de mi tía, y yo comencé a quedarme con la familia de una amiga. Tenía trece años.

*Estaba fuera de control y
desenfrenada.*

Los padres de mi amiga intentaron dirigirme hacia el deporte y me involucraron en actividades escolares, pero era difícil ayudarme. Yo no estaba acostumbrada a vivir en un hogar saludable donde había mucha estructura, aunque la necesitaba.

Cuando tenía catorce años comencé a acostarme con muchachos y salir de fiesta. Si alguien llevaba drogas a una fiesta, yo era la primera en probarlas. Probé el Éxtasis y después me quedé con la hierba y la cocaína. Cuando tenía dieciséis años estaba fuera de control y desenfrenada. Nadie sabía cómo acercarse a mí. Para entonces me había convertido en toda una adicta.

No sé cómo, pero me las arreglé para mantener un empleo en un restaurante italiano durante los años siguientes. Ese empleo era lo único estable en mi tempestuosa vida.

Después de un tiempo, mi mamá mejoró un poco y volví a vivir con ella. Ella estaba triste porque yo no estaba estudiando la secundaria, de modo que comencé a estudiar en casa yo sola. Ella también quería que mi padre pagara manutención, pero papá vivía en Carolina del Sur y no estaba interesado en darnos nada. Él contrató a un detective privado en Florida para que me siguiera a fin de documentar ante el tribunal que yo tenía un empleo y dinero y, por lo tanto, no necesitaba su dinero.

Yo tenía la sensación de que alguien me seguía siempre. Cuando era pequeña, Tom me había acosado en el patio de la escuela, y ahora eran mi padre y su detective privado. En cierto modo comencé a pensar que Dios también debía de estar observándome. Casi podía ver la expresión enojada en su cara mientras esperaba que yo metiera la pata.

Cuando el tribunal se hizo cargo del caso, mamá y yo tuvimos que regresar a Carolina del Sur. Volver a casa trajo muchos recuerdos, la mayoría de ellos dolorosos. Sorprendentemente, cuando vi a mi padre en el tribunal aquel día, no sentí ningún odio. Solamente sentía curiosidad acerca del hombre al que me parecía. ¿Quién era él? ¿Cómo era su vida? También me preguntaba sobre mi media hermana. Esa parte de la familia era todo un misterio para mí.

Cuando regresamos a West Palm Beach, las cosas empeoraron. Yo seguía invitando a todo el mundo a drogas y bebidas, yendo de fiestas y desmayándome. Me vestía provocativamente, atrayendo siempre al tipo equivocado de muchacho. Tenía una opinión tan baja de mí misma que suponía que mi cuerpo era algo para que otra persona lo usara. Era manipuladora y engañosa, y no tenía reparos en robar para conseguir lo que quería. Esa fue mi vida durante los años siguientes.

En medio de toda esa locura me las seguía arreglando para pensar que era una buena chica. Por mucho tiempo representé ese papel, manteniendo varios empleos. Siempre que alguien observaba que las cosas no iban bien conmigo, yo desviaba la culpa hacia mi novio. Las personas sentían lástima por mí porque era mi "novio malo" quien me arrastraba.

Para entonces yo vivía con un DJ, un hombre cinco años mayor que yo, y que había pasado mucho tiempo entrando y saliendo de la cárcel. Después de beber y drogarnos, comenzábamos a pelearnos. Yo le devolvía los golpes, pero él siempre me derrotaba.

Siempre que las cosas se ponían realmente difíciles, yo regresaba a la casa de mi mamá. Después, ella se hartaba de mí y me echaba de su casa, y poco después yo regresaba con el novio. Entonces los dos comenzábamos a vivir con ella. Era un círculo vicioso.

Cuando me hice daño en el trabajo, mi novio me introdujo a los analgésicos con receta. OxyContin, Percocet, Vicodin, y otros. Era muy parecido a la heroína de grado médico, y yo me volví totalmente adicta a ellos.

Poco después frecuentaba casas de crack y buscaba médicos que alimentaran mi hábito con las pastillas. Ya que no podía mantener un empleo, vendía pastillas que me sobraban por cinco o diez dólares por unidad; lo que fuera para obtener un poco de dinero.

Cuando no tenía medicinas que echarme a la boca, me sentía enferma. Me quedaba tumbada en la cama durante días, sufriendo síndrome de abstinencia. Durante un año estuve entrando y saliendo de centros de desintoxicación sin ningún resultado que mostrar a cambio.

Volví a mudarme a la casa de mi mamá y comencé a salir con un hombre catorce años mayor que yo. Para entonces, mi mamá también bebía. Un día me echó de allí gritando: "¡Ya basta! No puedo soportarlo más. Eres mi hija, pero ya no te conozco. ¡Te has convertido en un monstruo!".

Y tenía razón. En mi interior yo era un pequeño monstruo, enfurecido y lleno de dolor, sin tener una sola pizca de esperanza. No tenía un lugar donde vivir. Ya había hartado a todos los que conocía, suplicándoles que me dejaran dormir en su sofá unos días. Pero ya no quedaba ningún sofá donde dormir.

Sin embargo, había un cobertizo en un terreno vacío en la calle. Haciendo a un lado las colillas de cigarrillos, recipientes de gasolina y ropa vieja que estaba almacenado dentro, lo convertí en mi hogar durante los dos meses siguientes. En ese sitio oscuro, sin tener ningún lugar donde ir y nadie que me ayudara, comencé a preguntarme cómo me había hundido tan bajo. Tenía veintidós años. Aunque tenía toda la vida por delante, sentía que ya estaba llegando al final. Increíblemente, seguía pensando de mí misma como una buena chica que había tenido mala suerte. Pero no había modo alguno de negar cuán triste se había vuelto mi desgraciada vida. Si hubiera tenido más agallas, me habría quitado la vida.

——

No había modo alguno de negar cuán triste se había vuelto mi desgraciada vida. Si hubiera tenido más agallas, me habría quitado la vida.

——

Por primera vez en mi vida, estaba comenzando a admitir la devastación causada por el huracán que era mi vida. Quería desesperadamente alejarme del dolor que ya no podía soportar más, pero no sabía cómo hacerlo. Quizá si me iba de Florida, podría mejorar. Conocía sobre una iglesia local que se reunía en la playa y hacía todo lo posible por ayudar a los sin techo. Me compraron un billete solamente de ida a Nueva York para entrar en un programa de tratamiento que tenía sus oficinas en la ciudad.

Cuando le dije a mi mamá que me iba, se puso furiosa. "¿Quieres decir que me vas a dejarme aquí con tu caos, y tú vas a irte del estado?". A pesar de cuán dolorosas y retorcidas se habían vuelto nuestras vidas, yo la seguía amando, y quería pensar que ella también me amaba. Pero ahora era el alcohol quien hablaba. Ella estaba tan enojada que comenzó a golpearme, y yo le devolví los golpes. Finalmente, llegó la policía y la arrestó.

Ya no me quedaba nada. No tenía empleo, no tenía novio, y no tenía mamá. Estaba muy defraudada y herida porque ella no me quería en su vida. Fue entonces cuando clamé a Dios, suplicando Su ayuda.

"Dios, tienes que ayudarme —dije sollozando—. Iré a cualquier lugar donde tú quieras, haré cualquier cosa que quieras. ¡Tan solo ayúdame, por favor!".

Por lo tanto, con diez dólares en el bolsillo me subí al autobús y me dirigí al norte. El viaje de tres días desde Palm Beach hasta la ciudad de Nueva York fue una montaña rusa emocional, que me dio tiempo para pensar en mi vida. No estaba segura de si podría mantenerme sobria o incluso de si quería hacerlo; pero tenía miedo de consumir drogas en las calles de Nueva York, porque no sabía cómo eran las cosas allí.

Me bajé del autobús entre las calles Cuarenta y tres y la Octava Avenida, en medio de un mundo que no se parecía nada a Florida. Estaba tan desesperada, que llamé al policía más próximo. "Soy adicta a las drogas —le dije—. Necesito encontrar este programa". Entonces le mostré la dirección y él me indicó cómo llegar hasta allí.

Desde ese momento en adelante, todo cambió. A los veintitrés años de edad entré en un programa de tratamiento que discurría como el ejército. Dejé de fumar y de consumir drogas. Aunque había tenido pocas reglas y muy poca estructura en mi vida, me adapté a la atmósfera porque me hacía sentir que mi vida era mucho menos loca.

Como parte del programa, regresé a la escuela y obtuve un título en consejería. También comencé a salir con un hombre de cincuenta años que estaba en el programa. Era un patrón muy obvio. Yo tenía citas con hombres cada vez de más edad en busca de una figura paterna, alguien que cuidara de mí.

El programa alentaba a todos a involucrarse en algún tipo de sistema de creencia espiritual. Había salidas a monasterios, centros budistas, iglesias católicas y clases de yoga. Y desde luego también a Narcóticos Anónimos y Alcohólicos Anónimos. Yo lo probé todo, desde cristales hasta chacras. Aunque no consumía drogas seguía estando vacía, seguía estando quebrantada, seguía buscando a Dios pero sin saber dónde encontrarlo.

Por fuera me veía bastante bien. Ya no era una simple sin techo y sin ayuda, tenía un empleo como consejera sobre drogas y alcohol, dinero en el banco y una relación: todas las cosas que se supone que nos hacen felices. Pero seguía estando en un lugar oscuro.

Hacia el final del programa de dos años y medio, sufrí una lesión grave como resultado de un extraño accidente. Ahora ya ni siquiera tenía mi salud para apoyarme. Tenía la sensación de que se acercaba otra tormenta, que amenazaba con deshacer todo el progreso que había hecho. Pero estaba equivocada.

Un día, una amiga me invitó a una iglesia en el centro de Brooklyn. Fui porque, ¿por qué no iba a ir? ¿Acaso no había estado ya en todo tipo de iglesia que uno pudiera imaginar?

Esa iglesia era diferente. En cuanto entré, tuve la sensación de estar en casa. Aunque era mucho más grande que la iglesia a la que asistía de niña, me recordó el amor que había sentido en aquel entonces. Por lo tanto, regresé más veces, apoyada en la galería del viejo teatro convertido en iglesia, sin querer perderme ni una sola palabra. Siempre que el coro cantaba, yo sentía como si estuviera envuelta en algo hermoso, algo santo.

Mi novio venía a la iglesia conmigo, pero él no era entusiasta; no quería cambiar las cosas.

Recuerdo asistir al servicio de Nochevieja en el que todo el mundo cantaba y alababa a Dios. Nunca había estado en un lugar donde se pudiera estar sobrio y experimentar tanta alegría. Al unirme a la alabanza, sentí que Dios tocaba mi corazón y me llenaba. Entregué mi vida a Cristo en aquel momento, diciéndole una vez más que iría donde Él quisiera y haría lo que Él quisiera. Me sentí perdonada, limpiada, amada. El Padre de los huérfanos estaba allí conmigo, sanándome y llevándose mi depresión, mi aislamiento, mi temor, mis heridas, todo, y sustituyéndolo por su paz. Fue entonces cuando Dios realmente me sostuvo.

—

El Padre de los huérfanos estaba allí conmigo, sanándome y llevándose mi depresión, mi aislamiento, mi temor, mis heridas.

—

Entendí entonces que tenía una decisión que tomar. Mi novio y yo seguíamos teniendo intimidad, aunque yo sabía que eso no era correcto. También sabía que él no tenía interés en cambiar su vida o en ayudarme con mis problemas de salud. Seguía siendo muy difícil romper, porque él era mi manto de seguridad, el primer hombre con el que había salido en Nueva York, y con quien pensé que quería casarme.

Pero ahora estaba claro que no podía tenerlo a él y tener también a Dios.

Fue verdaderamente una batalla dejarlo ir. Por fortuna, comencé a hacer amistades en la iglesia. No eran el tipo de amistades que decían: "Hola, ¿cómo estás?", y después seguían caminando. Realmente querían saberlo. Me acompañaron a las citas con el médico, me llevaron a almorzar y me recogían para ir a la iglesia. También me decían la verdad, señalando las mentiras que yo era tentada a creer: que yo no era buena, que nunca podría ser feliz, que no me merecía ser amada. Me dijeron que Dios era el Padre que yo siempre había estado buscando y que Él podía ayudarme y sanarme.

En ese tiempo yo estaba saliendo del programa. El médico me alentaba a encontrar maneras de volver a integrarme en la sociedad. "Ya no necesitas todas estas terapias —me dijo—. ¿Por qué no te ofreces como voluntaria para más cosas en tu iglesia?".

Durante mi viaje de salida de la adicción a las drogas, había orado para que Dios me guardara, que evitara que huyera, que evitara que regresara a esa vida de locura. Él respondió mi oración de muchas maneras. Actualmente tengo amigas, figuras paternas, y hombres que son como hermanos para mí.

Tengo todo lo que necesito debido a cuán fiel ha sido Dios conmigo. Durante los últimos siete años he estado completamente libre de drogas. No soy la persona que solía ser.

Pero no se trata de mí. A medida que Dios me ha sanado, también me ha dado algo que hacer. Soy voluntaria con los jóvenes, y algunos de ellos han experimentado sus propios periodos difíciles. Debido a que yo he estado en ese lugar, sé a lo que se enfrentan. También sé lo que Dios puede hacer.

Aunque Él ha hecho que mi vida sea abundante y fructífera, no ha sido fácil. Mis problemas de salud son un reto continuo, pero no me derriban. En lugar de considerarlas otra tormenta amenazadora, veo mis dificultades como un capítulo más de mi historia. Al principio hubo muchos capítulos difíciles y llenos de desgracia, pero incluso en medio de la dificultad, este nuevo capítulo se siente diferente porque sé que Dios tiene el control. Confío en que Él sacará algo bueno de cada cosa difícil.

Siempre que conozco a alguien que ha sufrido abuso sexual, le digo que no es su culpa. También le digo que su pasado no tiene que controlar su futuro.

Si se lo pide a Cristo, Él le sanará. Le devolverá su vida, sin borrar el pasado sino utilizándolo para Su gloria de modo que ya no tendrá que tener miedo. No tiene que sentirse un fracaso. No necesita estar plagado por la inseguridad y la duda. Hay esperanza. Dios caminará con usted en los momentos dolorosos y le sanará, y saldrá de ellos más fuerte. Sus cicatrices se convertirán en heridas de guerra, y Dios lo convertirá en una bendición para alguien.

—

Dios caminará con usted en los momentos dolorosos y le sanará, y saldrá de ellos más fuerte.

—

Debido a lo que yo he experimentado, sé que a Jesús se le da bien restaurar a las personas. Hay un versículo en la Biblia que dice que Él nos devolverá los años que se comieron las langostas. Eso es exactamente lo que ha sucedido en mi vida. El huracán que casi me destruyó hace tantos años atrás, dejando un reguero de caos y quebrantamiento, ahora es solamente un recuerdo. Porque Dios ha intervenido y ha sanado mi corazón dañado.

Pero ¿qué de las otras personas en mi historia? ¿Cómo me siento con respecto a ellas?

No culpo a mi madre de lo que sucedió, ni por un momento. Sé que ella hizo todo lo que pudo enfrentándose a circunstancias muy desafiantes, y la amo. También la amo por defenderme cuando se enteró del abuso. Entiendo cuán difícil fue su propia vida desde temprana edad. Me doy cuenta de que el quebrantamiento tiene su manera de transmitirse a través de las generaciones. Ahora que estoy mejor, sería tentador jugar a ser terapeuta, desarrollar un plan de tratamiento para ella, ser su salvadora. De hecho, he intentado hacer todas esas cosas, pero no funcionan. El único que puede hacer eso es Jesús. Y yo creo que lo hará.

¿Y qué de mi padre? Dios me ha dado la gracia para ver que él es lo que todos somos: un pecador que necesita gracia y restauración. Cuando tenga la oportunidad de hablar con él sobre lo que sucedió, y me gustaría hablar con él, quiero que sepa que lo he perdonado, que me intereso por él y que quiero que sea feliz.

A pesar de lo buena que es, la sanidad que he experimentado no se detiene ahí. Jesús también me ha dado el deseo de decirle a Tom, el hombre que abusó de mí cuando yo era pequeña, que también lo perdono.

La Biblia dice que la luz brilla en la oscuridad, y la oscuridad no la ha vencido. Eso significa que la luz es más fuerte que la oscuridad. Debido a lo que ha sucedido en mi vida, sé que estas no son solamente palabras en una página. Son la verdad. Cualquiera que sigue a Jesús no caminará en tinieblas, sino que tendrá la luz de la vida.

LA HISTORIA DE ALEX

ALEXANDER COLÓN ES SUPERVISOR DE CONSTRUCCIÓN
E INGENIERÍA EN UNA ORGANIZACIÓN SIN FINES DE LU-
CRO. SE CRIÓ EN BROOKLYN, EL QUINTO DE SIETE HIJOS.
UN MUCHACHO PROBABLEMENTE DIFÍCIL, ÉL SERÍA EL
PRIMERO EN DECIRTE QUE NO DEBERÍA ESTAR VIVO PARA
CONTAR SU HISTORIA.

SON LAS 3:00 DE LA MAÑANA y estoy borracho. Ya he pasado por debajo de las sombras del puente Verrazano-Narrows, conduciendo hacia casa por la autopista Belt Parkway de Brooklyn. Entre las salidas 3 y 4 la carretera hace un giro lo bastante abierto para rodear Dyker Beach Park. Después, gira de nuevo hacia la costa y luego va hacia la izquierda al acercarse a la salida 5.

Lo último que recuerdo antes de quedarme dormido es la salida 4, a dos salidas de Gravesend. Con la bahía de la zona alta de Nueva York a mi derecha y el tráfico discurriendo a mi izquierda, ya no estoy conduciendo el auto. Cuando me despierto, estoy a más de un kilómetro más adelante en la carretera, dirigiéndome directamente hacia la salida 5, donde normalmente me desvío. Estoy anonadado. ¿Cómo se las ha arreglado mi auto para mantenerse en el carril aunque la carretera hacía un giro a la izquierda? ¿Y cómo me desperté justo a tiempo para salir de la autopista? Ahora debería estar flotando en la bahía o aplastado por el tráfico. Sin embargo, sigo vivo. Me detengo a un lado de la carretera y cubro mi cara con mis manos. No puedo retener el río de lágrimas que baja por mis mejillas. Me quedo sentado allí mucho tiempo, preguntándome qué acaba de suceder.

¿De quién era la mano que conducía el volante mientras yo dormía?

A pesar de haber escapado por poco en la carretera, nada cambió en mi vida. Conduje hasta casa y seguí viviendo como siempre lo había hecho. No se me ocurrió hasta mucho después que mi experiencia aquella noche resumía bastante bien mi vida. De alguna manera misteriosa Dios me mantenía vivo, aunque debería haber estado muerto desde hace mucho tiempo.

Nacido en Brooklyn, vengo de una familia muy grande de Puerto Rico, y soy el quinto de siete hijos. Hasta que tuve cinco años, pensaba que mi papá era un hombre bastante bueno. Baterista con ojos azules penetrantes y cabello oscuro, sabía tocar todo tipo de instrumentos. También era bien parecido y adorable, y las personas parecían gravitar hacia él. Me sentía afortunado de tener este papá hasta que comencé a observar cuán a menudo sus amigos tenían que traerlo a casa totalmente borracho desde el bar.

Macho a la enésima potencia, él hacía que mi hermano y yo nos sentáramos en la mesa para que mi mamá y cinco hermanas pudieran servirnos. Siempre que intentábamos ayudarles, se enojaba.

Papá tenía siempre un cigarrillo en la mano y una botella de cerveza en la otra. Si observaba que lo estaba mirando, me decía: "Si te veo alguna vez fumando o bebiendo, te daré una golpiza".

Siempre que se emborrachaba, que era todo el tiempo, se peleaba con mi mamá, golpeándola y zarandeándola por la habitación mientras mi hermano y mis hermanas y yo nos apilábamos en un rincón llorando.

Contrariamente a mis cinco hermanas y mi hermano, yo les causaba muchos problemas a mis padres. En aquellos tiempos, ellos no sabían qué hacer con niños como yo excepto golpearlos. Hoy día probablemente recibirían el diagnóstico de TDA... o LMNOP, o cualquier otra cosa, todo el alfabeto hasta la Z.

Siempre que mi papá me llamaba "Alexander" en lugar de "Alex", yo sabía que se avecinaba tormenta. Se quitaba el cinturón y me golpeaba, o se arremangaba la camisa y me daba puñetazos con sus puños. En lugar de lograr que yo me aplacara, sus golpes me llegaban bien dentro y hacían que me endureciera. Tan duro como las uñas e insensible al dolor, yo recibía los golpes.

"¡Eres un estúpido! ¡Eres tonto!", me gritaba una y otra vez, hasta que yo comencé a creerlo.

Cuando eres niño, crees que tu padre es tu protector, pero el mío nunca peleaba por nosotros, nunca intentaba ayudarnos. En cambio, se emborrachaba y entonces llevaba a la casa mucho temor. De niño te vuelves frío, te vuelves duro. Me refiero a que un niño no debería estar pensando en cómo puede librarse de su padre. Eso no debería estar en su mente. Pero yo pensaba en eso todo el tiempo.

—

Un niño no debería estar pensando en cómo puede librarse de su padre. Eso no debería estar en su mente. Pero yo pensaba en eso todo el tiempo.

—

Cuando se trataba de trabajo, mi padre nunca hacía lo mismo por mucho tiempo. Tuvo muchos empleos en la construcción y en fábricas. Durante un tiempo dirigió un cine. Pero nunca fue un buen proveedor.

Debido a su alcoholismo, no estaba cerca de ninguno de sus hijos. Cuando yo tenía nueve años, mi hermana mayor se tragó un montón de pastillas y se quitó la vida. Parte de mí culpaba a mi padre de su muerte, porque él nunca pareció interesarse por ella. Quizá se debía a que era hija de mi mamá de una relación anterior.

Nunca olvidaré llegar a casa tras el funeral de mi hermana. Mi papá puso su querida música de salsa a todo volumen como si estuviera en una fiesta. Actuaba como si no hubiera sucedido nada. Mi mamá estaba tan enojada que arrancó el brazo del tocadiscos, y eso dio comienzo a otra guerra. Mis hermanos y yo nos escondimos en otra habitación hasta que se calmaran las cosas. Yo intenté acallar los gritos, pero no podía dejar de pensar en lo que mi papá le estaba haciendo a mi mamá en la habitación contigua.

Estaba por ahí con amigos, bebiendo y experimentando con las drogas.

Cuando ese es el tipo de hogar donde vives, aprendes a no hablar al respecto. No les hablas a tus primos, tus tíos, tus tías o ninguna otra persona sobre lo que sucede en tu casa. Simplemente te mantienes callado y lo guardas todo en el interior.

Mi mamá era todo lo opuesto a mi papá. Ella siempre cuidaba de todo el mundo, cocinaba para todos, hacía todo lo que podía para mantenernos juntos. No se merecía un esposo como ese.

Finalmente, cuando yo tenía unos once años, ella tuvo las agallas de echar de la casa a mi papá. Como él ya no estaba allí para controlarme, comencé a ser rebelde. Cuando tenía trece años, siempre estaba por ahí con amigos, bebiendo y experimentando con las drogas.

Primero fue la mariguana y después fue el whisky. Olvidemos la cerveza. Yo aborrecía su sabor, y era necesario más tiempo para emborracharse. Pero el escocés, eso era otra historia. Me encantaba el modo en que bajaba por mi garganta, causando un alivio instantáneo del dolor.

Poco después me agarraron por asalto y allanamiento. Para entonces yo simplemente seguía a los demás, buscando emociones y un poco de dinero que meter en mi bolsillo. Cuando mi mamá entró en la comisaría de policía y me vio con las manos y los pies esposados a una silla, la expresión de su rostro me partió el corazón, pero no me convenció para que dejara de hacerlo. En cambio, decidí volverme un poco más astuto. Tenía que encontrar maneras de ocultar lo que hacía, para así no volver a hacerle daño.

En mi catorce cumpleaños entré en clubes por primera vez. Nadie pidió identificación ni a mis amigos ni a mí, pues en aquel entonces no les importaba. Comencé a ir a otros clubes:

Studio 54, el Inferno, el Palladium. Me encantaban todos. ¿Y por qué no? Había mucho sexo, drogas y alcohol: todo lo que necesitaba para pasarlo bien.

Para entonces, fumaba de cuarenta a cincuenta puros de mariguana al día y pasta base de cocaína. Me gustaba hacer viajes con el ácido y consumir Tuinal, Seconal, Black Beauty… Lo probaba todo.

Mi papá me había dicho siempre que yo era un estúpido. Ahora mi familia comenzaba a decir que estaba loco. Por lo tanto, era estúpido *y* loco: un loco estúpido. *Muy bien, si eso es lo que piensan, eso es lo que seré.* Y fui de mal en peor.

"Alex, hay muerte en tus ojos —me decían—. Parece que ni siquiera te importa".

Y no me importaba.

Un día, un amigo más mayor, un muchacho que siempre estaba entrando y saliendo de la cárcel, me enseñó a chantajear a los clientes. Me llevó a Pacific y la Cuarta, donde había mucho sexo a la venta. Él hacía tratos con las mujeres diciendo: "Mira, esto es lo que vas a hacer. Entra en mi auto, y cuando llegue el cliente, vas a dejar la puerta abierta y dejarlo en una situación comprometedora. Entonces yo pasaré por allí y te sacaré como si te estuviera estafando. Le quitaré los pantalones, agarraré lo que tenga y nos vamos. Podemos repartirnos el dinero". Así que eso es lo que hacíamos.

Yo tenía una pistola de calibre .38 y se la enseñaba a la cara al hombre. Aunque era solamente un muchacho, había algo en mi modo de mirar que convencía al cliente de que yo apretaría el gatillo si él me retaba.

Mientras tanto seguía estando en la escuela, seguía siendo popular y ni siquiera estaba cerca de reprobar. Tenía un maestro asombroso que intentaba acercarse a mí. "Alex —me decía— eres un muchacho inteligente. Sé que estás en una mala situación, pero puedes salir de ella". Pero yo no quería salir de todo aquello.

Poco después comencé a traficar con drogas por mi cuenta. Era muy fácil hacer dinero, miles de dólares por semana; y era aún más fácil gastarlo. Mis amigos y yo dejábamos muchísimo dinero en bares y clubes. No sé cuánto dinero en efectivo tuve durante el curso de un año, pero para entonces podría haber comprado un par de casas y un par de autos con el dinero que me gastaba en drogas.

No dormía nada durante dos, tres, cuatro días seguidos. Como siempre estaba colocado o borracho, estuve implicado en doce accidentes de tráfico. Dos veces atravesé el parabrisas.

Me han golpeado con bates y me han atacado con cuchillos; me han disparado varias veces. Los tratos con las drogas salían mal, o alguien pensaba que estaba traspasando su territorio, o algunos tipos te asaltaban para estafarte. No sé cómo sobreviví a esas situaciones, especialmente ese tiempo en las autopistas del Belt Parkway.

Una vez, yo estaba golpeando a un tipo con un bate, machacándolo. Aunque todos los demás habían huido, observé que había un hombre allí cerca que estaba de pie observándome. ¿Quién se creía que era? Antes de que pudiera darle con el bate, me dijo: "¿Te gustaría tener un empleo? Necesito a un tipo como tú". Entonces me ofreció un gran salario para que fuera su hombre-punta. Después de aquello, yo actuaba como su facilitador, recogiendo dinero de todos sus tratos con drogas.

—

¿Terminaría matando a alguien, o alguien me mataría a mí?

—

Por fuera yo parecía alguien a quien no le importaba nada, que no tenía miedo a nada ni a nadie; pero lo cierto es que me aterraba al pensar hasta dónde podría llegar. ¿Terminaría matando a alguien, o alguien me mataría a mí? Por dentro, yo no era tan duro. Tan solo intentaba encajar, demostrar cosas a personas. Recuerdo a tipos llorando cuando les decía que iba a dispararles. Se habrían reído en mi cara si hubieran sabido cuán asustado estaba yo realmente.

Tras ese episodio en Belt Parkway, comencé a pensar sobre mi vida. Tenía veintisiete años y ya me sentía viejo. Cuando se vive de ese modo, uno sabe que no va a durar mucho tiempo. Ya había perdido al menos a veinte personas que eran importantes para mí, la mayoría por violencia por drogas. Antes de morir, yo quería enamorarme, casarme y convertirme en papá. Realmente quería tener hijos. No mucho después de aquello conocí a una jovencita hermosa y nos casamos.

Mi esposa y yo nos mudamos a un apartamento con un salón inmenso. Era estupendo para hacer fiestas. Yo tenía allí a diez tipos tocando las congas. Justo en medio de todo había un plato lleno de cocaína y marihuana. Nuestra casa se convirtió rápidamente en un centro de fiestas.

Aunque yo seguía traficando, siempre tenía un empleo regular, con frecuencia en la construcción. Mis compañeros de trabajo se convirtieron en parte de mi red de drogas, porque todo el mundo quería drogas. Las noches de los jueves comenzábamos la fiesta. Sabiendo que ellos recibían su salario los viernes, la gente me pedía a crédito. El domingo, volvían a deberme dinero.

Cuando mi esposa se quedó embarazada, yo estaba eufórico; pero seis meses después perdió al bebé. Entonces se quedó de nuevo embarazada. Tras varios meses, tuvo otro aborto. Para entonces, yo estaba bastante seguro de cuál era el problema. ¡Era yo! Yo era el problema. No me merecía ser papá. Era un tipo malo que había hecho muchas cosas terribles. ¿Por qué debería ser feliz? ¿Por qué debería ser bendecido con un hijo? Estaba seguro de que mi esposa podría haber tenido un hijo si se hubiera casado con otra persona.

Entonces se quedó embarazada por tercera vez. Al principio todo iba bien, pero un día terminamos en la sala de urgencias. Mientras yo estaba en la sala de espera, preocupado por mi esposa y el bebé, hice algo que nunca antes había hecho, ni siquiera cuando me estaba escondiendo de alguien que intentaba matarme. Siempre había pensado que podía manejar las cosas yo solo; pero no podía manejar esta situación. Por lo tanto, con mi cabeza entre mis manos hice una oración, no en silencio ni en un susurro en mi corazón, sino en voz alta. "Dios, no sé cómo hablar contigo —dije—. Ni siquiera sé con quién estoy hablando. No sé cómo pedir nada, pero si hay alguna vez en que quieras hacerte real para mí, este es el momento. Por favor, que mi hijo viva. Te prometo ser un buen papá. Cuidaré de mi esposa. Si proteges al bebé, te serviré. Haré cualquier cosa que tú quieras".

———

**Si hay alguna vez en que quieras
hacerte real para mí, este es el momento.
Por favor, que mi hijo viva.**

———

Entonces un sabelotodo que estaba sentado cerca intervino: "Ah, Él no puede oírte", dijo como si estuviera intentando ser gracioso. En lugar de estamparle una silla en la cabeza como quería hacer, me acerqué y me quedé mirándolo fijamente. Entonces él se fue.

Cinco minutos después llegó la enfermera. "Señor Colón —dijo—, su esposa va a estar bien. Todo va a salir bien".

Yo estaba muy contento. Quería celebrarlo. Increíblemente, después de lo que yo le había dicho a Dios, mi primer pensamiento fue: ¡Voy a enrollarme un gran puro de mariguana con mucha cocaína dentro!

Pero cuando mi esposa y yo atravesamos las puertas dobles del hospital, vi dos contenedores de basura, uno a cada lado de la puerta. Metí las manos en mis bolsillos y tiré una bolsa de cocaína en uno de los contenedores, y una bolsa de hierba en el otro. Entonces le dije a mi esposa que no volvería a tocar las drogas.

Aquella no fue la primera vez que intenté dejarlo, pero nunca pude pasar más de cinco minutos sin volver a caer. Me había drogado cada día durante los últimos diecisiete años, y no tenía fuerzas para dejarlo. No es extraño que mi esposa solamente se encogiera de hombros cuando le dije que lo dejaba.

No fue fácil para mí aquella noche. Quería regresar a escondidas al hospital y recuperar esas dos bolsas de droga. Sabía que podía conseguirlo sin despertar a mi esposa, pero algo evitó que lo hiciera. *No lo hagas. No lo hagas.* No dejaba de escuchar esas palabras en mi cabeza.

Dos semanas después, yo seguía limpio. Pero después de seis meses y medio de embarazo, mi esposa abortó. Yo estaba muy enojado. "Teníamos un trato —le dije a Dios—. Yo hice mi parte. Tú no hiciste la tuya". Sorprendentemente, seguía teniendo cierta medida de paz, suficiente para saber que no quería regresar al modo en que antes vivía.

Mientras lidiaba con mi dolor y decepción, tuve la sensación de que Dios me decía: *Alex, dejaste de consumir drogas por ti*

mismo, no por mí. Sabías que necesitabas estar limpio. Ahora puedes ver de
lo que eres capaz cuando yo te ayudo.

Por lo tanto, hice todo lo posible para consolar a mi esposa. Le dije que encontraríamos un modo de atravesar eso. En lugar de estar enojado todo el tiempo, intenté encontrar soluciones, hacer que las cosas fueran mejor para los dos. Poco después de aquello, conseguí un nuevo empleo ganando mucho dinero. Era como si Dios me estuviera diciendo que ya no tenía que seguir vendiendo drogas, que no necesitaba seguir viviendo del modo en que lo había hecho.

Aunque las drogas y el alcohol siempre me habían atenazado con fuerza, Dios me levantó y me dio las fuerzas para dejarlo. Le digo a la gente que pasé por un programa de un solo paso, y no por uno de doce pasos. Después de aquel día en la sala de espera, nunca volví a tocar las drogas ni a beber alcohol.

¿Cómo llegué incluso a saber lo suficiente para clamar a Dios? Personas en mi familia siempre decían que eran católicas, pero solo iban a la iglesia en Semana Santa. Tenía una tía que sí lo hacía de verdad; ella amaba realmente a Dios y lo demostraba, y esta tía nunca se dio por vencida conmigo.

Recuerdo a uno de mis familiares cerrándome la puerta en mi cara porque no quería tener nada que ver conmigo, no quería que sus hijos estuvieran conmigo. Me sentí muy pequeño, muy indigno, una basura; pero nunca tenía esa sensación cuando estaba con esta tía. Ella era siempre amable y acogedora. A lo largo de todos aquellos años difíciles, ella me alentaba y plantaba semillas en mi vida. Ahora estaban comenzando a dar fruto.

Un día escuché de un tipo al que conocía que se llamaba Ángel. Había estado metido en el crack y en todo tipo de cosas. Alguien me dijo que estaba prendido para Dios; yo no podía creerlo, pero me invitaron a una reunión de oración a la que él asistía. Cuando lo vi, quedé asombrado por lo mucho que había cambiado. Aunque nunca antes me había caído bien, los dos nos hicimos muy buenos amigos. Y él se convirtió en un mentor para mí.

Durante la reunión de oración esa noche, oí al pastor decir algo que me llegó directamente al corazón. Aunque había miles de personas en la reunión, sentí que Dios me hablaba solamente a mí: "Es posible que no hayas tenido un padre terrenal —decía el pastor—, alguien que fuera bueno contigo, alguien que fuera amable contigo, alguien que fuera un ejemplo para ti; pero tienes un Padre celestial que nunca te abandonará, que nunca te dejará, que siempre estará a tu lado". Me derrumbé cuando escuché eso.

Fui a casa y le conté a mi esposa lo que había sucedido. Yo ya había pedido perdón a Dios por muchas cosas. Él me estaba cambiando, convirtiéndome en un hombre distinto. Pero en lugar de alegrarse por ello, ella dijo: "Realmente no me gusta el hombre en que te estás convirtiendo. Quiero tener otra vez al viejo Alex, y te digo que si no te enderezas, yo me iré".

Nuestra casa siempre había sido un centro para las fiestas, pero ya no era así. Yo había reunido todas las botellas de licor que teníamos, unas trescientas, y me deshice de todas. "Escuchen —les decía yo a mis amigos—, ustedes pueden venir y estar aquí, pero no van a hablar vulgaridades; no van a estar fumando, bebiendo ni consumiendo drogas". Incluso le dije a mi esposa que tenía que dejar de fumar cigarrillos en la casa. No es extraño que a ella le resultara difícil ajustarse al nuevo Alex.

Poco después, ya nadie venía a casa. Siempre que yo intentaba visitar a viejos amigos, era como Moisés dividiendo el mar Rojo: la mitad de ellos se iba por un camino, y la otra mitad se iba por otro. Nadie quería tener nada que ver conmigo.

Un día cuando regresé a casa del trabajo, vi a alguien que estaba metiendo muebles en un camión muy grande. ¿Quién se muda? ¡Un momento! Se parecen mucho a mis muebles.

Entonces me di cuenta de que mi esposa me abandonaba y se estaba llevando todo con ella.

En cierto momento ella me había dado un ultimátum: "Alex, no podemos continuar así. Tienes que escoger. Soy yo o Jesús".

"Escucha —le dije—. No voy a escoger entre los dos. Te amo. Amo al Señor. No voy a escoger. Haz lo que tengas que hacer. Si crees que tienes que irte, llévate lo que quieras". Y ella se fue y se lo llevó todo.

Ahora mi inmenso apartamento estaba totalmente vacío. Me senté en el piso de lo que se había convertido en una gran cámara con eco, y lloré. Tras un rato decidí que conducir podría calmarme; quizá si conducía y escuchaba música, podría ordenar mis ideas. Pero cuando bajé las escaleras hasta el garaje, no pude encontrar el auto. ¡Alguien lo había robado!

Para entonces estaba realmente estresado. Discutí con Dios. ¿Por qué permitiste que me sucediera esto? Yo solía tenerlo todo. Tenía a mi familia, a mi esposa. Ahora no tengo nada. No podía imaginar que las cosas pudieran empeorar. Pero así fue.

En cuanto subí las escaleras hasta el apartamento, comencé a tener calambres en el estómago. Fui al baño, y vi sangre en el inodoro; mucha sangre. Llamé a emergencias. Llegaron médicos y me bajaron cuatro pisos por las escaleras hasta una ambulancia. Entonces me llevaron a un hospital donde trabajaba una de mis hermanas. En cuanto llegaba un paciente, boom, todo aparecía en su pantalla. Ella vio mi nombre. "Alex Colón".

Aunque en aquella época ella no hablaba conmigo, corrió por el hospital y me encontró. "Estoy aquí —me dijo—. ¿Qué sucedió? ¿Estás bien?". Entonces se lo dijo al resto de mi familia, y todos llegaron corriendo.

Cada miembro de mi familia había pensado que yo estaba loco, primero por hacer tantas cosas malas y después por ir a la iglesia y hablar siempre sobre Dios. Me culpaban de la infelicidad de mi esposa, diciendo que ella era demasiado buena para mí. Ella tenía un trabajo estupendo, y era graduada universitaria. Yo era un muchacho de la calle. ¿Por qué seguía yo aplastándola?

Pero en cuando se enteraron de que estaba enfermo, todo cambió. Ya no hubo más acusaciones; ya no hubo más culpa. Solamente amor e interés. Aunque había perdido a mi esposa, Dios me devolvió al resto de mi familia. También regresaron muchos amigos. Aunque nunca volvimos a estar tan unidos, ellos me respetaban. Sabían que yo estaría a su lado a pesar de todo.

Afortunadamente, me recuperé por completo.

Al final incluso mi papá y yo nos reconciliamos. Aunque él nunca supo ni la mitad de las cosas que yo había hecho, comencé a contárselo para que pudiera entender de dónde me había rescatado Dios. También le dije que lo había perdonado a él por no ser un buen padre y por ponerse a sí mismo siempre él primero. Aunque él intentó no demostrarlo, yo sabía que mis palabras estaban causando un impacto.

"Papá, cuando alguien muere —le dije—, las personas intentan consolarse mutuamente. Dicen: 'Se fue a un lugar mejor'; pero esa es la mayor mentira del diablo. No todos van a un lugar mejor. Necesitas a Cristo en tu vida. Él te ama y te perdonará todo si se lo pides".

—

**Esa es la mayor mentira del diablo.
No todos van a un lugar mejor.**

—

Qué contraste con cómo me sentía cuando era niño. Recuerdo pensar en cómo podría asesinar a este hombre. *Si estuviera lo bastante borracho, ¿podría empujarlo por esa ventana, o podría caerse sobre un cuchillo grande y bonito?* Yo era un niño. No debería haber pensado cosas así, pero él estaba haciendo daño a mi mamá, le dejaba los ojos con moratones. Pero ahora realmente me importaba él.

Un año y medio después, mi papá murió. Aunque no llegué a tiempo al hospital, mis hermanas me dijeron lo que había sucedido. Él siempre había sido muy duro de carácter, muy frío; no había nada que pudiera hacerlo llorar. Incluso si se daba un martillazo en la mano, no derramaba ni una lágrima. Pero lloró durante una hora justo antes de morir. Le pidió a mi madre que lo perdonara, les pidió a mis hermanas que lo perdonaran, le pidió a mi hermano que lo perdonara. Dijo que sentía mucho haber sido un esposo y padre tan terri-

ble. Mencionó a todos, y después levantó sus manos y pidió a Dios que lo perdonara.

Si yo no hubiera sido claro y directo con él, no creo que nada de eso habría sucedido. Pero de-bido a que Jesús amaba a mi papá, me dio las fuerzas para hablar con él.

Mi hermosa hijita.

Poco después se casó mi amigo Ángel. Conocí a la mejor amiga de su esposa, y los dos hicimos buenas migas, pero yo no estaba preparado para volver a casarme; aún no. Le hablé de todas las cosas terribles que yo había hecho, y ella lo escuchó todo. Cuatro años después nos casamos, y dos años después de nuestra boda tuvimos una hermosa hijita. Finalmente pude ser el papá que siempre deseé ser.

Dios ha hecho mucho por mí. Él me rescató cuando yo estaba desesperado, me limpió y restauró mi vida, me bendijo con una familia maravillosa y relaciones estupendas, me dio mucha esperanza. La razón por la que Jesús murió en la cruz fue por personas como yo; fue por personas que no tienen ninguna esperanza. No hay límite para Su fuerza, para Su poder, para Su amor, para Su compasión. Él está ahí con Sus brazos abiertos de par en par, esperando que nosotros lleguemos a casa.

LA HISTORIA DE TONI

La doctora Toni Ginés-Rivera es la directora de la Alliance Graduate School of Counseling (escuela superior de consejería Alliance) en la universidad Nyack en la ciudad de Nueva York. Debido a los importantes vientos en contra que enfrentó en los primeros años de su vida, nadie la habría votado como la jovencita con más probabilidad de tener éxito. Tampoco nadie habría pronosticado el sendero que tomaría su sanidad.

ESTOY TUMBADA EN MI CAMA EN EL HOSPITAL después de dar a luz. No hay nadie conmigo excepto la trabajadora social asignada a mi caso. Recuerdo pensar en qué amable es ella, como uno querría que fuera su madre. Ella me pregunta cómo me siento, como si realmente se interesara por mí y mi bebé.

Ella no me presiona diciendo cosas como: "¿Quién es el padre, Toni?", o "Si quieres ayuda, tienes que decirnos qué sucedió".

Mi madre hace esas preguntas todo el tiempo, pero yo presento resistencia.

—No lo sé —le digo.

—¿A qué te refieres con que no lo sabes? ¿Cómo se llama?

Está decidida a sonsacarme el secreto.

—Lo olvidé —digo yo.

A pesar de quién me pregunte, la respuesta es siempre la misma: *No lo sé... No lo sé... No lo sé.*

Pero ahora la trabajadora social me está haciendo una pregunta que yo intento responder.

—¿Qué nombre te gustaría ponerle, Toni?

Me he quedado sin palabras. Mi bebé necesita un

nombre, pero nunca he pensado en qué nombre le pondré. Durante los últimos meses he estado viviendo el momento, centrada solamente en sobrevivir. No he tenido energía para pensar en las cosas que preocupan a la mayoría de las mamás embarazadas. No hay ninguna lista de nombres de bebé en la que yo pueda pensar.

—Toni, has tenido un varón —repite ella tranquilamente—. ¿Qué nombre te gustaría ponerle? —entonces me sonríe, como si yo hubiera hecho algo asombroso al dar a luz a mi hijo que pesó nueve libras (cuatro kilos).

De repente oigo un anuncio por megafonía: "Doctor Rubén, doctor Rubén, por favor acuda a la sala de conferencias cuatro en el ala oeste".

Girándome hacia la trabajadora social, digo:

—¡Qué hermoso nombre! ¿Se me permite poner ese nombre a mi hijo? Es muy hermoso.

Asegurándome que puedo poner a mi hijo el nombre que yo quiera, ella escribe el nombre en una hoja de papel y me lo deletrea, *R-u-b-é-n*.

Cuando ella se va, con mi hijo acunado en mis brazos lo digo varias veces en voz alta: "Rubén, mi pequeño Rubén". Y el nombre en mis labios sabe a amor.

———

Yo misma era solamente una joven, con apenas quince años, cuando Rubén llegó al mundo. Años después me encontré con una vieja fotografía. Era una imagen de mí cuando tenía once meses. Mientras miraba fijamente la foto comencé a llorar, porque era imposible ignorar el temor que se veía en los ojos de esa niña, como si ya pudiera ver lo que se avecinaba.

El miedo siempre viene de alguna parte. Cuando yo era pequeña, provenía de tener un padre alcohólico y una madre de diecisiete años que pesaba solamente 99 libras (45 kilos) pero que sabía maldecir como un marinero. Provenía de no recibir nunca besos ni abrazos, de no decirme nunca que era amada o que yo importaba. Provenía de intentar ser una "pequeña madre" para mis cuatro hermanos más pequeños, que nacieron en rápida sucesión. Provenía de un hogar que todo el tiempo era un caos.

Mientras que mamá estaba abrumada con las demandas de ocuparse de cinco hijos, mi papá tenía sus propios problemas que empeoraban mucho más porque bebía. Cuando era un niño y vivía en Puerto Rico, lo habían entregado a los vecinos para que lo criaran. Como su madre seguía viviendo en el barrio cuando él era pequeño, revivía ese rechazo cada vez que la veía.

———
148

LA HISTORIA DE TONI

En ese tiempo mi familia vivía en California, pero las cosas no iban bien. Yo tenía cinco años cuando el medio hermano de mi papá se mudó a vivir con nosotros cuando se retiró del ejército. Como era nuestro tío, lo llamábamos Tió. A diferencia de mi papá, mi tío no estaba siempre borracho, lo cual era suficiente para hacerlo parecer como un caballero de brillante armadura ante mi mamá.

—

A diferencia de mi papá, mi tío no estaba siempre borracho, lo cual era suficiente para hacerlo parecer como un caballero de brillante armadura ante mi mamá.

—

Como papá trabajaba por la noche, no pasó mucho tiempo hasta que mi mamá y Tió comenzaron una aventura amorosa. A medida que se acercaban cada vez más, recuerdo ver y oír cosas que ninguna niña debería presenciar. Su relación me confundía y me hacía preguntarme cómo encajaba mi papá. Incluso cuando él estaba en casa, no llegaba a estar presente. Tan solo desconectaba y le daba carta blanca a mi tío.

Por lo tanto, Tió fue un punto de inflexión. Cuando mi madre se permitió ser conquistada por él, no tenía ni idea de que su decisión dañaría a la familia de maneras que nos perseguirían durante años.

Poco después de cumplir los diez años, mis padres decidieron que todos nos mudáramos a Nueva York. Papá fue primero con un par de sus hermanos. Se suponía que iba a encontrar un empleo y un lugar para que viviéramos; pero mi padre no encontró empleo, y no teníamos lugar donde vivir, de modo que cuando llegaron mi mamá y Tió, nos quedamos con una tía. Como mi mamá no permitía que mi papá se mudara con nosotros sin tener un empleo, él se fue alejando. Mientras tanto, Tió encontró su propio lugar donde vivir.

Aunque no vivía con nosotros, Tió siempre estaba allí actuando como esposo y padre sustituto. Cuando yo tenía diez años, él comenzó a desviar su atención hacia mí, y nunca supe por qué. Quizá para entonces mi madre había recuperado la cordura e intentaba alejarse de su influencia, pero no podía librarse de él.

Mientras tanto, mi tío comenzó a hacerme pequeños regalos y a decirme lo mucho que me amaba. Un día me sentó en su regazo en una reunión familiar. Yo estaba tan incómoda que intenté alejarme, pero él me agarró con fuerza y comenzó a decirme que yo era muy especial. La fiesta estaba llena de gente, pero sucedían tantas cosas que nadie notó nada. "No te preocupes, te amo —me susurraba—. Eres como una hija. Yo nunca te haría daño, Ontonette", como él me llamaba.

Cierta parte de mí necesitaba oír lo que Tió estaba diciendo: que yo era querida, que era importante, que era amada. Yo era como una pequeña planta que se las ha arreglado para brotar en medio de un terreno seco y agrietado. Ahora, finalmente, alguien estaba regando esa pequeña planta para que pudiera desarrollarse. Desde luego que todo era una mentira, pero una que yo quería creer. Era maravilloso pensar que alguien pudiera amarme como su propia hija.

—

Cierta parte de mí necesitaba oír lo que Tió estaba diciendo: que yo era querida, que era importante, que era amada.

—

No pasó mucho tiempo hasta que él comenzó a abusarme sexualmente. Él tenía cuarenta y cinco años y yo tenía diez.

Para entonces, yo no era la única en la casa que estaba siendo abusada. Siempre que mis hermanos no hacían exactamente lo que decía Tió, él los golpeaba.

Como la mayor de cinco hijos, yo era como una pequeña madre para mi hermana y mis hermanos, y cuidaba de ellos siempre que mi mamá estaba demasiado cansada o deprimida para ocuparse de las cosas. Cuando ella estaba fuera o se sentía deprimida, yo cocía los huevos o los hot dogs para alimentarnos. No importaba si Tió estaba allí. Él nunca intentaba ayudar.

Mi tío había comenzado haciéndome sentir especial. Aunque parte de mí amaba la atención extra, me sentía culpable por el modo en que él trataba a mis hermanos, pero no transcurrió mucho tiempo hasta que cualquier sentimiento de ser escogida o especialmente seleccionada se evaporó. Yo había quedado reducida a ser una de sus posesiones, algo que Tió tenía y que podía usar y abusar como quisiera. Los sábados eran siempre el peor día de la semana para mí porque mi mamá se iba de la casa para asistir a la escuela de cosmética y me dejaba a mí a cargo.

"¡No te vayas! Por favor, llévame contigo", le suplicaba yo. Pero la respuesta era siempre la misma. Necesitaba que yo me quedara en casa y me ocupara del resto de la familia.

En cuanto ella se iba, llegaba Tió. Era parte de la rutina, el modo en que él hacía las cosas. Tras ordenar a mi hermana y mis hermanos que salieran a jugar a la calle, me llevaba al cuarto y me violaba. Mientras él lo hacía, yo no gritaba ni lloraba; en cambio, me preocupaba por mi hermana pequeña. Ella tenía solo cuatro años y estaba jugando en las calles de Brooklyn sin nadie que la estuviera cuidando. El abuso de Tió continuó durante los siguientes cinco años. Siempre que mi mamá estaba fuera, llegaba él. Mientras ella no estaba, él hacía lo que quería.

Poco después de mi catorce cumpleaños, su actitud hacia mí cambió. Se estaba volviendo violento, y me golpeaba y me amenazaba con empujarme por las escaleras. Recuerdo agarrarme al pasamanos y rogar por mi vida. Él me hacía tragar pastillas y varios brebajes, y me obligaba a ponerme un corsé muy ajustado que se me clavaba fuerte en el abdomen.

—

Como ni siquiera sabía que estaba embarazada, me tomó mucho tiempo identificar lo que Tió intentaba hacer.

—

Nadie me había enseñado nunca nada sobre mi cuerpo o sobre qué esperar cuando llegara a la pubertad. Yo no sabía nada sobre ciclos menstruales ni de ninguno de los cambios que estaba experimentando. Como ni siquiera sabía que estaba embarazada, me tomó mucho tiempo identificar lo que Tió intentaba hacer. Este nuevo nivel de abuso tenía la intención de librarse del bebé, de borrar la evidencia de lo que él me había estado haciendo.

Cuando nada de eso funcionó, él me llevó al hospital local. Ya que compartíamos apellido, no le resultó difícil actuar como mi padre. Aunque intentó programar un aborto, el médico se negó porque el embarazo estaba ya en su tercer trimestre.

El día 14 de febrero, cuando estaba embarazada de siete meses, Tío me metió en las manos una tarjeta de San Valentín y me ordenó que escribiera esta nota: *Apreciada mamá, te hago saber que no te amo, y me voy. No eres una buena madre. No me busques, porque no vas a encontrarme.*

Pero era todo una gran mentira. A pesar de sus errores, yo amaba a mi mamá. De hecho, siempre había sentido mucha compasión por ella. Yo nunca habría huido, pero no podía reunir las fuerzas para pelear. Por lo tanto, escribí el mensaje en la tarjeta y la firmé, con lágrimas bajando por mis mejillas.

Años después, mi hermano menor me dijo lo que él recuerda sobre ese día. Aunque él tenía que quedarse en la sala con los otros niños, pudo oírme llorar. Como vivíamos en un apartamento tipo ferrocarril, él tenía que pasar por la sala y los dormitorios para acercarse a la cocina. Aun así, no pudo llegar a entender lo que estaba sucediendo. "Yo quería saber lo que Tió te estaba obligando a hacer —me dijo— y por qué tú llorabas tanto. Entonces sencillamente desapareciste".

Tió me había secuestrado.

Yo le tenía tanto miedo a mi tío que fue un alivio cuando me dejó en la casa de una extraña: un apartamento muy pequeño que pertenecía a una mujer con una hija que era aproximadamente de mi misma edad. Hasta entonces yo había sido muy buena en guardar el secreto, porque Tió siempre había amenazado con hacernos daño a mí y a la familia si yo decía algo. Pero como ocurre con frecuencia con los adolescentes, la hija de la mujer y yo nos hicimos amigas rápidamente, en especial desde que compartíamos la cama. Al final, le conté todo y ella se lo contó a su madre.

Poco después mi propia madre estaba al teléfono, llorando histéricamente. Para entonces, yo llevaba perdida dos meses.

—Toni, ¿dónde estás? ¡Necesito ir donde estás! ¿Por qué huiste? —me seguía interrogando, pero yo tenía demasiado miedo a decirle lo que sucedió.

—¿Estás metida en las drogas?

—No —respondí.

Al seguir con sus preguntas, finalmente acertó: —¿Estás embarazada? —cuando su pregunta fue respondida con silencio, dijo—: Estás embarazada, ¿verdad? No te preocupes. Lo solucionaremos. Está bien. Voy a ir a buscarte.

Pero en lugar de ir a buscarme llamó a Tió, y él insistió en ir él a buscarme. Sin duda alguna, él había fingido ser el tío preocupado todo el tiempo en que yo no estaba.

No es difícil imaginar nuestra conversación en cuanto me subí a su auto. Bajo ninguna circunstancia debía decirle a nadie quién era el padre del bebé. Me dijo que dijera que no lo sabía.

Tras regresar a casa, comenzaron las preguntas de mi madre: —¿Quién es el padre?".

—*No lo sé.*

—¿Dónde fuiste con él?

—*No lo sé.*

—

¿Cómo podía decirle la verdad cuando mi tío estaba siempre ahí, escuchando cada palabra?

—

Yo respondía lo mismo a cada pregunta, poniéndome histérica mientras ella seguía presionándome. ¿Cómo podía decirle la verdad cuando mi tío estaba siempre ahí, escuchando cada palabra?

Para entonces estaba embarazada de nueve meses. No había visto a ningún ginecólogo y ni siquiera había tomado vitaminas durante todo el embarazo. No tenía ni idea de qué significaba dar a luz. Cuando mi madre finalmente me llevó al médico, él habló de la importancia de prepararme para el parto, especialmente porque iba a tener un bebé grande. Pero ¿qué significaba eso? Yo ni siquiera entendía que un embarazo terminaba a los nueve meses, y no tenía ni la menor idea sobre el significado de tener un bebé grande. Estaba en shock y asustada por todo lo que me estaba sucediendo.

Aunque había muchas cosas que yo no entendía, una cosa estaba clara. En cuanto me di cuenta de que un bebé estaba creciendo dentro de mí, tomé la decisión de amarlo. Aunque no sabía cómo orar o a quién orar, recuerdo decir: "Por favor, permite que me quede con este bebé. Es mío. Este bebé es mío. Esto es lo único en el mundo que me pertenece". En cierto modo, la idea de que iba a tener un bebé fortalecía mi deseo de vivir.

Cuando nació Rubén, Tió compró una casa y después toda la familia nos mudamos allí. Nosotros vivíamos en los dos pisos de arriba mientras que él tenía un apartamento en el primer piso. Para desviar la atención de mí, mi madre le dijo a todo el mundo en nuestro nuevo barrio que Rubén era de ella; por lo tanto, no fue ninguna sorpresa que en cuanto él aprendió a hablar comenzó a llamarla a ella mamá y a mí Toni. Decidida a mostrarle quién era yo en realidad, lo apartaba a un lado y le decía: "No, no. Yo soy mami. Llámame mami". No me importaba lo que pensaran otras personas. Si alguien me preguntaba por qué él me llamaba "mami", yo planeaba responder con la respuesta que daba siempre: *No lo sé*.

Cuando tenía dieciséis años regresé a la escuela. Como la mayoría de los adolescentes, comencé a querer tener más control sobre mi vida. Por primera vez entendí hasta qué punto Tió me había estado controlando por la fuerza. Aunque él ya no me abusaba, seguía siendo una Gestapo de un solo hombre que observaba cada uno de mis movimientos, escuchaba todo lo que yo decía e intentaba controlarme y aislarme. Este hombre de mediana edad me estaba sacando de quicio, coartando mucho mi estilo.

Un día, él llegó para recogerme después de las clases. Yo estaba hablando con un par de amigas y él no dejaba de tocar el claxon, intentando que yo me apresurara. Decidí ignorarlo, aunque sabía que pagaría un precio por hacer eso. Cuando finalmente me subí al auto, él estaba furioso. "¿Quién te crees que eres? No vuelvas a ignorarme nunca —gritó, dándome un puñetazo—. Te mataré si lo haces".

En cuanto llegamos a casa, me arrastró hasta su apartamento y comenzó a darme bofetadas, a tirarme del cabello y a darme puñetazos en la cara. Aunque yo estaba acostumbrada a que me golpearan, esta vez fue diferente. En ese momento surgió toda la rabia y el odio que yo sentía hacia él, abriéndose camino desde mi corazón hasta mi boca. Lo desafié y le planté cara, pero él era más fuerte que yo y me tiró al piso. Grité mientras él comenzaba a golpearme, aporreándome con los puños cerrados como si yo fuera otro hombre.

Suponiendo que estábamos solos en la casa ese día, Tió debió quedarse anonadado cuando llegó mi mamá corriendo.

—¿Qué está sucediendo? —gritó.

—¡Esta muchacha va a aprender a respetar! —rugió él.

Mientras Tió estaba distraído, yo me levanté del piso. Me corría sangre por la cara y llegaba a mi ropa. Aunque tenía la nariz rota, estaba decidida a no llorar. De ninguna manera iba a darle a él esa satisfacción.

Recuerdo mirar a mi madre mientras me dirigía a la puerta. Cuando vi la expresión de desesperanza y desolación que había en su cara, supe que ella no podía seguir ocultándose la verdad a sí misma.

—Ya sabes lo que está sucediendo aquí. Y si *realmente* quieres saberlo, ¡pregúntale a él! —dije, y salí por la puerta.

Aquel día, Tió le dijo a mi madre que él era el padre de Rubén. No sé lo que sucedió después de aquello, pero recuerdo el grito. Aquella noche ella fue a hurtadillas a su apartamento, agarró su pistola y se la puso en la cabeza mientras él dormía. Entonces lo echó de la casa y lo persiguió por la calle.

De todas las dificultades en la vida de mi madre, esta fue la peor. Por primera vez, tuvo que enfrentarse al hecho de que su hija estaba siendo abusada por un hombre al que ella había permitido tomar el control de su vida y de la mía.

Mi tía Elsie, la única cristiana en mi familia, siempre invitaba a mamá a ir a la iglesia, pero ella nunca iba. No tenía ningún interés. Pero después de ese episodio con Tió, mi tía invitó a mi mamá a su casa, explicando que había pedido a unas amigas que se reunieran para orar. Cuando mi madre fue aquella noche, entregó su vida a Cristo.

Cuando Jesús entró, lo cambió todo para nosotros. Mi madre era tan distinta que casi parecía como si Dios le hubiera hecho una cirugía. De repente, tenía agallas. Ya no estaba deprimida sino llena de energía y certeza. Había una paz nueva a su alrededor. Años antes, cuando había cedido por primera vez a Tió y después le permitió encargarse de nuestras vidas, casi había destruido nuestra familia, pero ahora su entrega total a Cristo levantó a todos.

Poco después de aquello salimos de la casa de Tió y nos fuimos a nuestro propio apartamento.

Al principio asistíamos al pequeño local de la iglesia a la que iba mi tía, pero yo sentía que todos allí me juzgaban por ser una mamá adolescente. Aunque en ese tiempo yo tenía una fe muy pequeña, solía decirle a Dios que no me gustaba ir a esa iglesia. "Por favor —oraba yo—, ¿puedes buscarnos otra?".

Unos días después yo iba en un autobús lleno de gente. Había una diminuta mujer de color sentada a mi lado. Recuerdo ver su bolsa moverse de un lado a otro sobre su brazo mientras el autobús avanzaba entre el tráfico. Al darse cuenta ella, me dijo: "Estás buscando una iglesia, ¿verdad?". Cuando le dije que sí estaba buscando una iglesia, ella sacó un pequeño pedazo de papel con una dirección escrita: 543 Atlantic Avenue. "Ve allí —me dijo—. Te va a encantar".

Yo no tenía la más mínima idea de cómo había leído mi corazón; solamente sabía que tenía que visitar esa iglesia. No dejaba de preguntarle a mi mamá: "¿Podemos ir, podemos ir?".

El siguiente domingo fuimos a la iglesia en Atlantic Avenue. El joven pastor y su esposa nos hicieron sentir tan bienvenidas que regresamos. No hubo acusaciones ni preguntas. Tampoco ninguna sensación de que nadie me estuviera menospreciando. El pastor nunca me llevó a su oficina y me dijo: "Bien, Toni, necesito saberlo. ¿De dónde salió ese pequeño? ¿Quién es el padre? ¿Estás recibiendo algún dinero de él? ¿Quién les sostiene a los dos?". No hubo nada de eso.

Pertenecer a esa iglesia fue como incorporarme a una familia maravillosa, como tener un nuevo comienzo en la vida. Vi algo en ese pastor que me ayudó a entender por primera vez lo que sería tener un padre que fuera amable y protector. Comencé a entender que así es Dios.

Después de un tiempo, conocí a alguien y me enamoré. Aunque solo tenía diecisiete años en ese entonces, le aseguré a Benjie que tenía dieciocho y que era lo bastante mayor para salir con él. Tres años después nos casamos. Éramos muy felices juntos. Casarme fue una gran sorpresa para mí. Debido a mi pasado me había sentido dañada irreparablemente, como si nadie fuera a quererme nunca después de lo que había sucedido. Pero Benjie me amaba incondicionalmente.

Para entonces, yo estaba viviendo una hermosa historia. Estábamos en la iglesia, yo estaba en el coro, tenía un esposo maravilloso que también era un padre estupendo para mi hijo. Por fuera, las cosas no podrían haber sido mejores. Yo me sentía jovial y alegre la mayor parte del tiempo, pero por dentro se estaban cociendo problemas.

En lugar de contarle a Benjie la historia de mi niñez, le dije que había cometido un error de juventud con un novio que ya no estaba en mi vida. Aunque me hiciera verme mal, de ninguna manera iba a contarle la verdad: que mi tío me había abusado y que él era el padre de Rubén. Ya no quería más fealdad, no quería más infelicidad. Quería dejar atrás el pasado como si nunca hubiera sucedido.

Hice un trabajo tan bueno enterrando mi secreto que comencé a creer que Benjie era el padre biológico de Rubén. Cuando nació nuestra hija Aimee, parecía que otro capítulo maravilloso se había abierto en nuestras vidas. Pero confiar en una "historia de felices para siempre" que yo había inventado en mi cabeza no iba a funcionar para siempre.

Aunque conocía al Señor en aquel tiempo, mi fe no era muy fuerte. Al mirar atrás entiendo que es imposible desarrollar raíces profundas si tu vida está plantada sobre falsedades. En lugar de abrirme, me había cerrado herméticamente, escondiendo mi vergüenza y fingiendo ser una mujer sin ninguna preocupación por el pasado porque era muy feliz en el presente.

Desde luego, yo no hacía todo eso de modo consciente; sencillamente era muy difícil enfrentarme de cara a mi vergüenza. Pero el dolor no reconocido tiene su propia manera de infectarse hasta que finalmente sale a la luz. Y tras ocho años de matrimonio, eso ocurrió con el mío. Sucedió en mitad de la noche.

—

Todo lo que yo había intentado enterrar estaba saliendo, y no sabía qué hacer al respecto.

—

Sin poder dormir, me quedé mirando retratos enmarcados de mis dos hijos en la pared del dormitorio. Recuerdo mirar a Aimee y después a Rubén, y luego otra vez a Aimee. Cuando miré a Rubén una segunda vez, algo cambió dentro de mí. Comencé a sentir náuseas a medida que la verdad acerca de mi pasado resurgió, y mi mente comenzó a llenarse de recuerdos. Todo lo que yo había intentado enterrar estaba saliendo, y no sabía qué hacer al respecto.

Mientras más recordaba el trauma de mi niñez, peor me sentía. Por mucho tiempo pensé en quitarme la vida. Tenía veintiocho años y ya no quería seguir viviendo.

En lugar de quitarme la vida de repente, lo fui haciendo gradualmente. Cuando tenía treinta años di a luz a un niño al que llamamos Benjamin Jacob. Para entonces, Benjie y yo también habíamos adoptado a dos de mis sobrinas. Mientras me hundía más profundamente en mi propio mundo oscuro, dejé de lidiar con las cosas. Aunque nunca me fui de la casa, me las arreglé para abandonar a mi esposo y a mis cinco hijos.

Lo hice alejándome de ellos una noche tras otra. Poco después tenía un nuevo grupo de amistades, personas que solo querían salir de fiesta. Para entonces había tanto enojo y furia en mi interior que odiaba a todo el mundo excepto a las personas que compartían mi amor por las drogas y la bebida.

Mi esposo no tenía ni idea de lo que estaba sucediendo porque nunca le hablé sobre Tió. Cuando uno intenta hacer a un lado el pasado como si no fuera tan importante, poco después la gente deja de preguntar al respecto. Debido a mi modo de comportarme, él comenzó a creer que nunca lo había amado realmente. Quizá solo me había casado con él para darle un padre a Rubén. Eso dio comienzo a una trayectoria de rechazo que creó incluso más caos en nuestras vidas.

Una noche, drogada y borracha, le conté a mi nueva pandilla la verdadera historia de lo que me había sucedido cuando era niña. En lugar de escuchar con empatía y aconsejarme que consiguiera la ayuda que necesitaba, solamente alimentaron aún más mi enojo, diciendo que era el momento de que alguien se ocupara de ese tipo. Juntos, mis amigos de drogas y yo creamos un plan para encontrar a Tió y matarlo, pero nunca lo encontramos y yo no volví a verlo jamás. Años después entendí que fue el amor y la protección de Dios lo que evitó que encontrara a mi tío. ¿Quién sabe lo que habría sucedido si lo hubiéramos encontrado?

A pesar de cuántas drogas tomara o cuánto alcohol consumiera, no podía mantener a raya mi desgracia. De hecho, mis reacciones empeoraban las cosas. Antes yo había sido una víctima inocente cuya vida había quedado devastada por los pecados de los adultos que le rodeaban. Ahora era una persona adulta que decidía tomar sus propias malas decisiones.

—

Antes yo había sido una víctima inocente cuya vida había quedado devastada por los pecados de los adultos que le rodeaban. Ahora era una persona adulta que decidía tomar sus propias malas decisiones.

—

Finalmente, en medio de mi desesperación clamé a Dios. ¡Sácame de este caos!, le rogué. *Tienes que sacarme. No importa lo que sea necesario. Incluso si significa sacar a la luz mi pecado, por favor, Dios, ¡rescátame!*

Y Dios lo hizo. Él intervino y me salvó de la manera más profunda posible. Él me perdonó, me sanó y me hizo recuperar a mi esposo y mis hijos. Cuando finalmente regresé a la iglesia después de haberme ido durante cuatro años, nadie me reprendió; nadie me dio sermones; nadie me dio la espalda. En cambio, me dieron la bienvenida otra vez con mucho amor.

Mi esposo también fue increíblemente perdonador y amoroso hacia mí. Años después de reconciliarnos, le pregunté cómo pudo atravesar ese periodo tan horrible. ¿Por qué no me había dejado cuando supo que yo había abandonado a nuestros hijos y le había sido infiel? ¿Cómo pudo tratar con tanta bondad a aquella esposa tan atormentada y quebrantada?

Toni —me dijo— Dios me dio el libro de Oseas en la Biblia, ya sabes, el que habla sobre el profeta que se casó con esa mujer que le seguía dando la espalda una y otra vez. Dios me dijo que te amara como Oseas amó a su esposa infiel porque tú eras la esposa de mi juventud. Él me sostuvo en todo aquello.

Sin duda, Dios nos sostuvo a los dos. Mi viaje de sanidad no ha sido fácil. Ha sido necesario mucho trabajo duro y tiempo. He tenido que enfrentar de cara el dolor y la fealdad de mi pasado, pero hacer eso en presencia de Dios no me ha destruido. En cambio, me ha producido gozo y libertad, y también me ha permitido ayudar a otros.

Cuando aún era una adolescente, tuve que dejar la escuela para ayudar a sostener a mi familia, y eso significó no tener ningún diploma de secundaria. Pero decidí obtener mi certificado GED a los treinta y cinco años de edad. Entonces, uno de mis maestros sugirió que podría llegar a ser una buena psicóloga escolar. Con su aliento fui a la universidad y terminé una licenciatura en psicología. Después de aquello recibí una maestría de la Universidad Fordham en Nueva York.

Finalmente recibí mi licenciatura en psicología y consejería. Desde entonces he tenido la oportunidad de ponerme al lado de otros que han sufrido abuso y necesitan a alguien que les ayude a atravesar el proceso de sanidad.

Increíblemente, no le guardo ningún odio a Tió. Perdonar tomó tiempo; fue un proceso, pero en el que Dios bendijo grandemente. Entiendo que lo que tenía intención de ser para mal se ha vuelto algo para bien. Mi hermoso hijo Rubén, y mi habilidad para ayudar a otros que han sufrido abuso, han sido regalos de Dios.

Pero la historia no termina ahí. Un día recibí una sorprendente llamada telefónica de un primo. Quien llamaba se identificó como hijo de Tió. Acababa de enterarse de lo que su padre me había hecho cuando yo era niña y llamaba para expresar su dolor. Mientras hablábamos, supe que Tió había fallecido recientemente. Entendiendo que mi primo era quien tenía necesidad de consuelo, le dije que hacía mucho tiempo que había perdonado a su padre.

Entonces él me dijo que su hermana y él habían pasado años compartiendo el evangelio con su padre, aunque él siempre se había resistido. Pero en su lecho de muerte, Tió había hecho la oración del pecador con su hijo, arrepintiéndose de su pecado y afirmando su fe en Cristo y su deseo de entregar su vida a Él. Me alegró oír que mi tío había tenido una oportunidad de dejar este mundo con un sentimiento de paz.

Pero siempre me he preguntado si mi madre sospechaba de lo que estaba sucediendo mucho tiempo antes de que la verdad saliera a la luz. Nunca lo sabré, porque nunca resolvimos ese asunto después de su muerte prematura. Lo que sí sé es que Dios me ha dado compasión por ella, y estoy agradecida de que ella finalmente me defendió.

De algunas maneras, mis hijos ayudaron a salvar mi vida. Me dieron una razón para vivir. Rubén fue un rayo de luz en medio de tanta oscuridad, y Aimee fue la pequeña que yo siempre había soñado tener.

Aunque Benjamin se llamaba como su padre, no se me ocurrió hasta años después que Dios me estaba hablando mediante los nombres de mis hijos. Quizá recuerde la historia de la Biblia de Jacob y sus doce hijos. Rubén es el nombre del primero de sus hijos y Benjamín es el nombre del último. Cuando puse nombres a mis hijos no había oído sobre la historia de Jacob, y no sabía nada de sus luchas y de cómo Dios le ayudó. Leer sobre su vida me hizo entender que mis propios hijos han sido sujetalibros para mi historia, enmarcando mi vida. Aunque

Benjamín nació durante mis años de lucha, por medio de su nacimiento encontré una razón para volver a vivir.

Tristemente, él falleció hace tres años debido a una rara enfermedad en la sangre. De todo lo que he sufrido durante el curso de mi vida, esto ha sido

Con mi hijo Rubén.

lo peor con mucha diferencia. Perderlo a él, que siempre era muy bueno y amoroso, que siempre era un pacificador, me pareció insoportable. Y sin embargo, con la ayuda de Dios he sido capaz de soportar incluso ese dolor. Al mirar hacia el futuro, sé que cada día necesito apoyarme en Dios, depender de Él cuando doy cada paso. No hay ninguna otra manera, ni tampoco hay vuelta atrás para mí.

También he llegado a entender que ninguna vida es fácil. Debido a lo que me sucedió, entiendo que hay dos planes para cada vida. Está el plan de Dios y el plan de Satanás. Satanás hará todo lo que pueda para lograr que su plan se haga realidad. La Biblia nos aconseja: "Practiquen el dominio propio y manténganse alerta". Nos dice: "Su enemigo el diablo ronda como león rugiente, buscando a quién devorar" (I Pedro 5:8). Él aprovechará cada oportunidad para destruirnos.

Pero si extiende usted su mano y la pone en la mano de Dios, el plan que Él ha tenido para usted desde el principio del tiempo, el plan que solamente usted puede vivir, que se hará realidad y usted conocerá el gozo y la libertad. A pesar de cuán dolorosa haya sido su historia o cuánta vergüenza podría estar ocultándose a usted mismo y a los demás, Dios es lo bastante fuerte y amoroso para manejarlo. También es bastante creativo para utilizar todo, incluso las peores cosas, para llevar a cabo Sus buenos propósitos. Si usted lo permite, Él convertirá su vida en una historia que usted atesorará, al igual que mi hijo Rubén y yo atesoramos hoy nuestra historia. No la llamamos "mi historia" sino "nuestra historia", porque Dios nos ha bendecido a los dos a pesar de la difícil manera en la que Rubén fue concebido y vino a este mundo. La única pregunta que usted tiene que responder en este momento es la siguiente: ¿a quién confiará la vida que se le ha dado? ¿Qué tipo de historia será la suya?

EL RESCATADOR

Espero que haya disfrutado al leer las historias de mis siete amigos tanto como yo he disfrutado al relatarlas. Aunque cada historia es única, hay un hilo conductor que las une a todas. Cuando la vida de cada persona iba en una espiral descendente, sucedió algo inesperado. Alguien escuchó sus voces pidiendo ayuda y los rescató.

Pero ¿quién es ese alguien, ese rescatador que pudo transformar vidas quebrantadas y desesperadas en algo sano, fuerte y bueno? Cada uno de mis amigos le dirá quién es esa persona. Si no hubiera sido por Jesús, dirán ellos, estarían muertos o atrapados para siempre en una vida de dolor y oscuridad.

Probablemente sepa que Jesús fue un rabino judío que vivió en una región rural del Imperio romano. Predicador popular, Su enseñanza fue considerada tan incendiara y subversiva por las élites religiosas de Su época que no pudieron tolerarlo por más de tres años: la duración de Su ministerio público. Celosos de Su influencia, conspiraron para matarlo.

Cuando Jesús fue clavado a una cruz romana, incluso Sus seguidores más cercanos pensaron que Su vida había terminado como un completo fracaso. Nadie entendía que al aceptar el castigo por nuestros pecados, Él estaba realizando el acto más amoroso, heroico y poderoso de la historia del mundo. Mediante Su sacrificio voluntario, Él estaba abriendo un camino para que los seres humanos pecadores regresáramos a Dios.

Tras Su resurrección, a medida que una persona tras otra, incluso algunos de las élites que antes se opusieron a Él, entregaron sus vidas a Jesús y fueron transformados por Su amor, el mundo tal como lo conocemos comenzó a cambiar.

Dos mil años después, Jesús sigue estando en el negocio de cambiar vidas cuando las personas claman a Él pidiendo ayuda. Debido a que Jesús, como Hijo de Dios, es a la vez humano y divino, es el único ser en el universo capaz de llenar el vasto abismo que hay entre los seres humanos pecadores y un Dios santo.

En el corazón de toda vida, incluidas la suya y la mía, hay una elección. ¿Seguiremos haciendo las cosas a nuestra manera, llevando la batuta y viviendo como si nosotros tuviéramos el control, o clamaremos a Jesús pidiéndole que venga a nuestra vida y nos muestre la manera de vivir?

Debido a que Jesús desea nuestro amor, nunca nos obligará a acudir a Él. Él sabe que el amor solo es amor si se entrega libremente; por lo tanto, nos invita a tener una relación íntima con Él y después nos deja elegir. Podemos rechazar esa relación o aceptarla.

Si usted decide aceptarla y si quiere empezar de nuevo en su vida, comience pidiendo a Jesús que perdone los pecados que usted ha cometido en el pasado. No ponga excusas ni justificaciones. La razón por la que Él murió en la cruz fue proporcionar perdón para usted y para mí. Después confíe en Él para que se ocupe del presente y el futuro: hoy y mañana, y el día siguiente.

Jesús es el único que puede darle un nuevo comienzo, el único que puede ayudarle a comenzar de nuevo. A pesar de lo que usted haya hecho o lo que le hayan hecho, Él puede darle un corazón nuevo y una mente renovada, y el tipo de paz y gozo que no fluctúan según las circunstancias. Lo único que Él no puede hacer es no rescatarle cuando usted le entrega su vida.

Si está cansado de vivir la vida a su manera, y si quiere conocer a Dios más profundamente, acompáñeme en esta oración:

Dios, te doy gracias por crearme a tu imagen. Incluso cuando estaba lejos de ti, tú no me diste la espalda. En cambio, hiciste posible que regresara a ti enviando a tu Hijo, Jesucristo, quien llevó el castigo que yo merecía muriendo en la cruz y después fue resucitado de la muerte. Te pido que perdones todos mis pecados y me enseñes cómo vivir. Renuncio a Satanás y a todos sus caminos, y te pido que rompas su poder en mi vida. No quiero tener nada que ver con él. En cambio, quiero rendir mi vida a Jesucristo, a quien acepto como mi Señor y Salvador. Por favor, lléname con tu Espíritu Santo y dame la fe que necesito para seguirte donde tú me guíes. Amén.

DÓNDE IR DESDE AQUÍ

Si ha entregado su vida a Jesús, puede estar seguro de que Dios y sus ángeles lo están celebrando en este momento. En virtud de decir sí a Su invitación, usted se ha convertido en Su hija o hijo adoptado, un hijo amado que es parte de Su familia. Como sus pecados ya han sido limpiados, Él ya no los ve. Usted ha comenzado a vivir una vida nueva.

Ahora que se ha unido a la familia de Dios, ¿qué viene a continuación? Al entrar en una relación con Jesús y su Padre celestial, ha sido transferido del reino de las tinieblas al reino de la luz. En lugar de ser enemigo de Dios, ahora se ha convertido en Su buen amigo.

Su nuevo estatus produce bendiciones tremendas. A causa del amor eterno de Dios y Su gran fidelidad, usted vivirá con Él para siempre. Aquí en la tierra Él le ayudará y le equipará para vivir una vida de fidelidad, que le producirá paz y gozo tremendos.

Aunque Dios puede decidir sanarlo rápidamente de las heridas que haya sufrido como resultado de sus pecados y de los pecados que otros hayan cometido contra usted, es más frecuente que la sanidad se produzca de forma gradual. Experimentará cada vez mayor libertad y sanidad a medida que comience a seguir a Jesús, quien es el gran Médico.

A veces se encontrará enfrentando obstáculos. Eso puede suceder porque parte de usted sigue queriendo hacer cosas del modo en que solía hacerlas, como si usted y no Jesús estuviera a cargo de su vida. Cuando tropiece, sencillamente levántese y pida perdón a su Padre. Él sin duda alguna se lo dará.

Pertenecer a Jesús se trata de transformación. Si quiere experimentar una felicidad profunda, tiene que comenzar sabiendo por qué fue usted creado; necesita conocer su propósito. El primer capítulo de la Biblia nos dice: "Así que Dios creó a los seres humanos a su propia imagen. A imagen de Dios los creó; hombre y mujer los creó" (Génesis 1:27, NTV). Eso significa que usted y yo, y cada persona que haya vivido jamás, fuimos creados con el propósito principal de ser llenos de Dios. Hemos de seguir a Jesús tan de cerca y conocerlo tan íntimamente que lleguemos a ser como Él, reflejando Su carácter. Brillar con Su presencia y ser llenos con Su vida nos hará felices como ninguna otra cosa puede hacerlo.

Una de las principales maneras de acercarnos a Dios es leer la Biblia, que es Su Palabra personal para nosotros. En la Biblia, Él comunica Su corazón; nos dice quién es Él y cómo hemos de vivir. Esto es particularmente cierto en el Nuevo Testamento, que se enfoca en la vida de Jesús y la iglesia primitiva. Si no está familiarizado con la Biblia, comience comprando una buena traducción, que esté escrita en el lenguaje actual. Comience leyendo el Evangelio de Juan, y después siga leyendo el Nuevo Testamento y el libro de Salmos, que puede ser una gran ayuda en la oración.

Preste particular atención a las maravillosas promesas que Dios ha hecho a quienes lo aman. A continuación tenemos solo algunas en las que vale la pena reflexionar diariamente.

———

No se inquieten por nada; más bien, en toda ocasión, con oración y ruego, presenten sus peticiones a Dios y denle gracias. (Filipenses 4:6)

———

Si confesamos nuestros pecados, Dios, que es fiel y justo, nos los perdonará y nos limpiará de toda maldad. (I Juan I:9)

———————

Vengan a mí todos ustedes que están cansados y agobiados, y yo les daré descanso. Carguen con mi yugo y aprendan de mí, pues yo soy apacible y humilde de corazón, y encontrarán descanso para su alma. (Mateo II:28-29)

———————

Porque yo sé muy bien los planes que tengo para ustedes —afirma el Señor—, planes de bienestar y no de calamidad, a fin de darles un futuro y una esperanza. (Jeremías 29:II)

———————

Pues estoy convencido de que ni la muerte ni la vida, ni los ángeles ni los demonios, ni lo presente ni lo por venir, ni los poderes, ni lo alto ni lo profundo, ni cosa alguna en toda la creación podrá apartarnos del amor

que Dios nos ha manifestado en Cristo Jesús nuestro
Señor. (Romanos 8:38-39)

———————

Así que acerquémonos confiadamente al trono de la
gracia para recibir misericordia y hallar la gracia que
nos ayude en el momento que más la necesitemos.
(Hebreos 4:16)

———————

Recuerde que quien le ha hecho estas promesas es fiel. Él es su
Padre celestial, quien le cuida con Su amor fuerte y protector.

Como Él es un Padre bueno, quiere estar cerca de usted,
quiere escucharle cuando usted ora. No se preocupe por las
palabras exactas que usa, sencillamente derrame su corazón
ante Él. No tenga miedo a llevarle sus inquietudes más profundas y sus preguntas más acuciantes. Simplemente póngalas
ante Él y confíe en que Él le guiará. Espere con paciencia a
que Él actúe, que le dé la gracia y la sabiduría que necesite en
cada situación. Recuerde que puede tener comunión con Dios
porque Él y usted ya no son extraños sino buenos amigos.
Nada puede separarlo de Su amor.

Al pasar tiempo con Él diariamente, recuerde comenzar a alabarlo por quién es Él y darle gracias por cómo ha obrado en su vida. Al hacerlo, descubrirá que su fe se fortalece y su amor se hace más profundo.

Además de leer la Biblia y orar diariamente, es vital que encuentre una buena iglesia donde pueda conectar con otros creyentes. Aunque ninguna iglesia es perfecta, pida a Dios que le ayude a encontrar una que le ayudará a crecer. Busque una iglesia en la que los líderes y los miembros expresen una relación viva con Jesucristo, basen sus vidas en las verdades de la Biblia, y dependan de la gracia de Dios para ayudarles a crecer. Es importante reunirse al menos semanalmente con otros creyentes para poder adorar a Dios, orar juntos, y escuchar la Palabra de Dios proclamada. Todos necesitamos amigos cristianos que puedan apoyarnos y alentarnos cuando más lo necesitemos.

Tener una relación viva con Jesucristo le producirá un gozo tremendo, pero seguirá teniendo luchas, algunas de las cuales surgirán debido a la oposición espiritual. Aunque Satanás siempre ha sido su enemigo, ahora le aborrece más aún porque usted ahora pertenece a Dios; pero no debe tenerle miedo. Jesús le protegerá mientras se mantenga cerca de Él, dándole todo lo que necesite. Como dice la Escritura: "Ahora bien, sabemos que Dios dispone todas las cosas para el bien de quienes lo aman" (Romanos 8:28). Eso significa que incluso nuestras dificultades nos beneficiarán mientras nos mantengamos cerca de Jesús.

Como mis amigos Lawrence, Timiney, Rich, Robin, Kaitlin, Alex y Toni, usted enfrentará desafíos al vivir esta nueva vida, pero el gozo y la victoria que le pertenecen debido a su relación con Jesús serán mucho mayores.

Al concluir nuestro tiempo juntos, quiero invitarle a imaginar una vez más que todos estamos sentados en la sala de mi casa. Ahora usted conoce las historias de mis amigos y por qué no tienen miedo a contarlas. Al darle gracias a Dios por todo lo que Él ha hecho, voy a concluir con esta oración de bendición, que hizo por primera vez el apóstol Pablo por los primeros cristianos:

Le pido que, por medio del Espíritu y con el poder que procede de sus gloriosas riquezas, los fortalezca a ustedes en lo íntimo de su ser, para que por fe Cristo habite en sus corazones. Y pido que, arraigados y cimentados en amor, puedan comprender, junto con todos los santos, cuán ancho y largo, alto y profundo es el amor de Cristo; en fin, que conozcan ese amor que sobrepasa nuestro conocimiento, para que sean llenos de la plenitud de Dios. (Efesios 3:16-19)